100 obras maestras del Museo del PRADO

100 obras maestras del Museo del PRADO

selección y comentarios de

Alfonso E. Pérez Sánchez

Ediciones Alfiz

Bocángel 29
28028 Madrid

Presentación

Cuando Ediciones ALFIZ, hace ya más de veinte años, comenzó a publicar sus selecciones comentadas de diapositivas, tuvo la suerte de contar con la colaboración de D. Alfonso E. Pérez Sánchez, que entonces iniciaba su labor al servicio del Museo del Prado y supo, además, transmitirnos su ilusionado entusiasmo ante nuestras actividades de reproducción gráfica de obras de arte. Gracias también a su exigente crítica, hemos procurado siempre superar la calidad de nuestras reproducciones a lo largo de estos años de renovación tecnológica en las artes gráficas.

Esperamos que este volumen que ahora ofrecemos sea una prueba viva del esfuerzo de esta editorial, que ha optado por las ediciones reducidas y cuidadas casi artesanalmente, en un momento en que los caminos comerciales se dirigen a la gran producción mecanizada.

Agradecemos al señor Pérez Sánchez, autoridad hoy al máximo nivel internacional, la autorización para volver a usar estos textos, que con mínimas actualizaciones, se reproducen ahora como fueron escritos entonces para acompañar aquellas colecciones de diapositivas.

El editor

El Museo del Prado

El Museo del Prado

El Museo del Prado, uno de los más famosos museos de arte del mundo y probablemente la mejor pinacoteca del Universo, debe su origen al menos querido y grato de todos los reyes de la Historia de España: Fernando VII. Aunque la idea de hacer accesibles las colecciones reales la había concebido ya el efímero José Bonaparte, le correspondió a Fernando VII, una vez acabada la guerra de la Independencia, hacerla realidad, logrando así, por paradoja, una de las ideas más felices de espíritu de la Revolución que él tanto odiaba. Secundado por su esposa, Isabel de Braganza, que no llegó a ver concluida su iniciativa pues murió el año anterior a la apertura, destinó para albergarlo, tras algunas vacilaciones, el edificio que Juan de Villanueva había construido en 1785 para Galería de Historia Natural y Academia de Ciencias, que antes de llegar a concluirse había sido muy dañado por las tropas francesas.

El Museo, tras algunas obras de restauración y acondicionamiento del edificio, se abrió al público en noviembre de 1819, y desde entonces, y a través de muchísimas vicisitudes, ha permanecido ligado al paisaje madrileño, del que constituye uno de sus más característicos y nobles monumentos.

Juan de Villanueva logró en él una de las obras maestras del neoclasicismo europeo, entendido sin frialdades rigoristas, flexible y armonioso en su distribución y muy bello en el uso de materiales tan típicamente madrileños como ladrillo rojo y la piedra blanca de Colmenar. Las dificultades que sin duda causó, y causa todavía, su adaptación a un destino para el que no fue pensado, se compensan, en parte, con su propia belleza arquitectónica y el peso de la tradición, que ve en él, por excelencia, el «Museo de Pinturas».

Disposiciones recientes han incorporado al Prado los fondos del antiguo Museo de Arte Moderno, que se ha instalado en el vecino edificio del Casón del Buen Retiro. Aunque, de hecho sea, pues, ya Museo del Prado a todos los efectos, esas colecciones de pinturas y escultura del siglo XIX mantienen su unidad y una cierta independencia. A ellas se ha venido a unir, recientísimamente, el «Guernica» de Picasso, constituyéndose así un enclave del arte contemporáneo más significativo, en el corazón del viejo Prado histórico.

Pintura Española

La especial historia del Museo y sus colecciones (vinculado en su origen con exclusividad, a las colecciones reales) limitó en cierto modo su contenido.

en lo que a artistas se refiere, a aquellos pintores que trabajaron para la Corte (desde los retratistas de Felipe II hasta Goya) y a aquellos otros a quienes la moda o el gusto convirtió en cotizados y deseables aunque hubiesen trabajado lejos de Madrid.

La incorporación al Museo Real, en 1872, de los fondos del extinguido Museo de la Trinidad, creado con los conventos suprimidos por la desamortización de Mendizábal, enriqueció la escuela madrileña y dio entrada también a algunos valiosos «primitivos». Quedaban fuera del Museo, o muy escasamente representadas, las escuelas regionales y casi todo lo medieval.

Estas lagunas se han colmado luego, en fechas más recientes con adquisiciones y donativos, y hoy puede ya tenerse una cabal idea del desarrollo pictórico español recorriendo sus salas.

Las pinturas de San Baudilio de Berlanga y las de Santa Cruz de Maderuelo sirven como muestra de la solemne ordenación figurativa del románico, con su gusto casi abstracto; los retablos del gótico internacional con su deliciosa fragmentación episódica, su elegante y caballeresca visión de la realidad y sus deslumbramientos de oros, también están representados. A partir de la segunda mitad del siglo XV comenzamos a tener artistas de categoría universal. Al calor del realismo flamenco, los artistas españoles crean un estilo de fuerte expresionismo, del cual Gallegos en Castilla es el máximo representante, junto al andaluz Bermejo, que trabaja en Aragón. Pedro Berruguete, que visita Italia en los mejores tiempos del Quatrocento, y que conoce a Piero de la Francesca, trae los primeros ecos del Renacimiento a la Corte de los Reyes Católicos. En Valencia, donde trabajan desde 1476 artistas italianos, aparecen obras de excepcional belleza renaciente. La Virgen del Caballero de Montesa, es un buen ejemplar de lo todavía cuatrocentesco. Después, Yáñez de la Almedina trae un eco vivísimo del arte de Leonardo de Vinci, matizado de riquezas de color venecianas. Juan Vicente Masip y su hijo Juanes, el primero con grandiosidad florentina y el segundo de modo un tanto artificioso y fácil, difunden por España modelos florentinos y romanos de pleno siglo XVI. En los mismos años, Morales crea su personal estilo, entre flamenco y leonardesco, y en la Corte de Felipe II los retratistas oficiales, con Sánchez Coello a la cabeza, maduran un estilo de impecable objetividad y profunda caracterización sicológica. Junto a ellos, aislado en Toledo vive El Greco, venido quizás con el deseo de trabajar en El Escorial, y que en la atmósfera intelectual de la ciudad imperial, crea su mundo apasionado y personalísimo. Cuando El Greco muere en 1614, ya han llegado a España los primeros ecos del mundo del tenebrismo y su nueva visión de la realidad, más concreta bajo una cruda luz, casi de foco teatral, que les aísla en su más inmediata materialidad. Ribalta, catalán de Solsona formado en Castilla, lo inicia en Valencia, sin renunciar del todo a las formas plenas del mundo renaciente. Un valenciano, que vive siempre en Italia, Ribera, crea un estilo amplio y grandioso, que cuenta entre los más potentes del Barroco Europeo. En Sevilla, a la sombra de maestros más viejos, como Pacheco, crecen los jóvenes Zurbarán y Velázquez, atraídos a la esfera del realismo y creando, desde muy pronto, obras de segura maestría. Velázquez, luego en la Corte, en contacto con las colecciones de pintura veneciana y con una mayor amplitud de horizonte gracias a sus viajes a Italia, crea su estilo personal donde las posibilidades de la técnica pictórica alcanzan una seguridad inigualada.

La segunda mitad del siglo XVII supone, en cierto modo, un cambio de estética. Al rigor naturalista de la primera mitad de siglo sucede un ilusionismo barroco, dinámico, ampuloso y decorativo, que produce en Madrid los coloristas de las escuela Madrileña y en Sevilla artistas como Murillo y Valdés Leal, en los cuales la realidad directa cede el paso a una visión más subjetiva, amable en uno, dinámica y violenta en el otro.

El siglo XVIII es un siglo de interés menor en nuestra pintura. Lo amable francés, el rococó italiano con sus fragilidades aporcelanadas, aún dan un fruto de cierto interés en Paret, de refinada técnica diminuta y vivaz; y dentro del género del bodegón, Menéndez retrata frutos y cacharros con implacable objetividad. Pero el siglo se cierra en la figura colosal de Goya, que inaugura con su genialidad desbordada, su violencia expresiva y su libertad técnica, todos los caminos del arte contemporáneo.

Pintura italiana

Por su origen, vinculado especialmente a las Colecciones Reales, el Museo del Prado presenta un deslumbrador panorama de la pintura italiana del siglo XVI, especialmente veneciana, pues es sabida la vinculación de los grandes reyes Carlos V y Felipe II a los maestros de Venecia, en especial a Tiziano.

Sin embargo, de los «primitivos» y de los artistas del primer renacimiento cuatrocentista, casi nada se conserva aquí y aun lo poco visible es ajeno a las colecciones reales y ha ingresado en fecha reciente. La Anunciación, de Fra Angélico, de tan noble pureza, procede del Convento de las Descalzas, y los Botticelli, con su elegante gracia narrativa, el Merlozo da Forli y los Tadeo Gaddi, los donó en 1940 Francisco Cambó. Sólo el excepcional Mantegna, una de sus obras más puras y solemnes, procede de las colecciones regias.

Del siglo XVI, la magnífica serie de Rafael, acopiada en buena parte por Felipe IV, es de excepcional importancia como conjunto. Recuérdese el retrato del Cardenal o el Camino del Calvario. También Andrea del Sarto está representado por alguna de sus obras maestras, y aunque faltan otras autógrafas de Leonardo da Vinci y Miguel Angel, el arte de Luini y las obras de alguno de los más vibrantes manieristas, como Volterra y Salviati, dejan constancia del estilo de aquellos maestros.

Los grandes venecianos están ampliamente representados. Treinta y seis obras de Tiziano, entre ellas las obras maestras absolutas de su arte de retra tista y pintor de mitologías, veinticinco de Tintoretto, con el excepcional La vatorio, y trece de Veronés, completan, con otros artistas menores y el incom parable Giorgione, que inició la escuela, la representación del arte de la ciu dad de las lagunas en su momento más glorioso de sensualidad y opulencia.

El siglo XVII, por tantos años alejado de la sensibilidad general, y hoy en plena revaloración crítica, cuenta con innumerables obras de muy alta cali dad, desde el tenebrismo de Caravaggio al refinado academicismo de Reni. pasando por un amplia representación de los maestros napolitanos, que cul mina en una abundantísima colección de obras de Luca Giordano, el fecundí simo «Fa Presto», que tiene aquí uno de los más ricos conjuntos de su obra in gente.

En el siglo XVIII, otra oleada italiana se manifiesta en nuestro ambiente cortesano. Ya Felipe V había traído al hábil y amable Amiconi. Con Carlos III la decoración del Palacio Nuevo, trae a Conrado Giaquinto, de delicada gra cia rococó y refinadísima sensibilidad de colorista, y a Gian Battista Tiépolo. último y genial representante del colorismo veneciano, que deja aquí en Es paña —donde muere— los últimos fulgores de su deslumbradora paleta.

En conjunto, y salvo la ausencia de los primitivos —falta ya difícilmente compensable, por su rareza y elevadísimos precios—, el Prado presenta una visión muy completa de la pintura italiana a partir del 1500, y su conocimien to es obligado a cuantos pretendan conocer, siquiera superficialmente, su es plendoroso curso.

Pintura flamenca

Las relaciones estrechísimas de la Corona de España con los Países Bajos desde mediados del siglo XV, han hecho que el Prado, cuyos fondos funda mentalmente son las colecciones regias, cuente entre los museos más ricos del mundo en pintura flamenca.

El panorama riquísimo de los «primitivos», con su realismo minucioso y su tersa luminosidad deslumbradora, puede ser recorrido casi íntegramente en las salas que el Prado les dedica. Obras capitales del Maestro de Flemalle, de Dierick Bouts, de Van der Weyden, cuyo «Descendimiento» cuenta entre las obras maestras de la pintura universal de más amplio porte dramático, de Memling, de Patinir, y ya dentro del siglo XVI, de Metsys, de Gossaert o Van Orley con ecos evidentes del mundo italiano, llenan las salas del Museo. Capí tulo excepcional en el arte flamenco de esas fechas es la obra inquietante del Bosco, hormigueante de figuras enigmáticas, divertidas y problemáticas en su intención moralizadora y satírica, que sólo en Madrid puede estudiarse con amplitud a través de tres grandes trípticos y de varias tablas sueltas que el

Prado conserva. Un poco en relación con el mundo del Bosco, el de Brueghel el Viejo también queda brillantemente representado aunque por una sola obra. Flamenco fue también el retratista de Felipe II, Antonio Moro, de quien se conserva una amplia colección de sus profundos e impecables retratos.

Tras la separación de los Estados del Norte (la Holanda protestante), la Corona de España mantiene sólo su vinculación a los Estados del Sur, la Bélgica católica.

El genio máximo de Rubens llena por sí solo la historia de la pintura flamenca del primer Barroco. Pintor favorito de los Reyes, su representación en el Prado es excepcional, tanto por el número de obras como por su calidad, pues buena parte de ellas procede de su testamentaria y son lo más personal e íntimo de su obra.

Junto a Rubens, Van Dyck tiene también una noble representación tanto en sus elegantes retratos como en sus composiciones religiosas. Jordaens, el tercer gran maestro flamenco del Barroco es el menos aristocrático y de gracia más plebeya. Su pequeña tabla «Los tres músicos» es uno de los cuadros más vibrantes y vivos del Museo.

También de otros muchos maestros menores, tales como el minucioso, casi miniaturista Brueghel, de Velours, hijo del Viejo, o el divertido anotador de la vida burguesa y popular, David Teniers, conserva ejemplos abundantes el Museo, siempre de calidad sobresaliente, sin contar con la obra de innumerables discípulos de Rubens (algunos conocidos tan sólo por las firmas de estos cuadros del Prado) que colaboran con él en las empresas decorativas encomendadas por Felipe IV, especialmente la de la Torre de la Parada, palacete de caza en el monte del Pardo.

Para conocer la pintura flamenca, la visita al Prado es al menos tan obligada como la de los propios museos de los Países Bajos.

Otras escuelas Esculturas-Dibujos

Razones históricas, al estar las colecciones del Prado tan ligadas a la Corona española y, por lo tanto, a los avatares políticos, han hecho que el Prado no posea apenas representación de la pintura de aquellos países que fueron rivales políticos en los momentos de máximo esplendor español. Holandeses e ingleses han sido los más afectados por esta circunstancia, y, en efecto, estas escuelas son las más pobremente representadas. De todos modos, y gracias a las aficiones coleccionistas de Isabel de Farnesio en el siglo XVIII, una serie no muy abundante de maestros menores holandeses entró en las colecciones reales y de ellas pasó al Prado. Si bien no figuran entre los cuadros de este origen obras de los más grandes maestros del género doméstico, tan característico (ningún Vermeer, ningún Peter de Hooch, ningún Mieris o Dou), otros menos famosos dejaron valiosos ejemplos, y junto a ellos brilla un soberbio

Rembrandt, que adquirió Carlos III. De los pintores ingleses nada hubo hasta los años posteriores a 1939, en que se realizó un esfuerzo por colmar esa laguna, con adquisiciones de desigual calidad, aunque algunas de evidente porte y significación.

Distinto es el caso de Francia. Aunque rival en el siglo XVII, los dos más grandes pintores franceses de ese tiempo (Poussin y Lorena) residieron en Roma y obras capitales suyas vinieron a Palacio, junto con las de los italianos contemporáneos. Luego algunos pintores franceses (Ranc, Van Loo) trabajaron en la Corte del primer Borbón y dejaron aquí obras de evidente importancia. Sin embargo, casi nada poseemos de los maestros del siglo XVIII galante y preciosista (Boucher, Fragonard, Chardin), salvo dos bellos Watteau. Y nada, por supuesto, del siglo XIX, gloria excepcional de la pintura francesa, y fuera ya del marco cronológico del Prado.

De Alemania, aliada tradicional, sí se cuentan algunas obras de importancia del momento glorioso del humanismo renacentista que cristalizó en Durero, de quien poseemos cuatro obras maestras. También Cranach está bien representado, y un Holbein, de discutida atribución pero magistral, le acompaña. Poco importante el siglo XVII, nada hay de él, pero el XVIII presenta un conjunto magnífico de Mengs, que, como Tiépolo, su humillado rival, pintó en Palacio por encargo de Carlos III e hizo aquí escuela.

Aunque un tanto desplazadas por la asombrosa riqueza de las pinturas, también guarda el Prado algunas esculturas dignas de estima, tanto de la Antigüedad clásica como del Renacimiento y el Barroco. De aquélla, el Diadumenos, copia romana de Policleto, es quizás el mejor ejemplar conservado, y junto a él se pueden señalar una notable serie de mármoles romanos muy bellos, e incluso una cabeza de bronce excepcional. De tiempos posteriores, el conjunto de bronces de León y Pompeo Leoni, hechos por encargo de Felipe II, constituye serie de primer orden.

Y aún quedan por mencionar el llamado Tesoro del Delfín, deslumbrador conjunto de orfebrería, que fue del padre de Felipe V, y las colecciones de dibujos, entre los cuales el incomparable conjunto de los de Goya (más de cuatrocientas piezas) no tiene igual en el mundo.

The Prado Museum

The Prado Museum

The Prado Museum, one of the most famous art museums in the world and probably the best painting collection in the universe, owes its origin to the least liked and least likable of all the kings in the history of Spain: Ferdinand VII. Although the idea of opening the Royal Collections to the public had already been conceived by the transitory Joseph Bonaparte, once the War of Independence was over it fell to Ferdinand VII to make it a reality, thus paradoxically making possible one of the most fortunate ideas of the Revolutionary spirit which he so hated. He was seconded by his wife Isabel de Braganza, who did not, however, live to see her initiative bear fruit, for she died a year before the opening. After some indecision, the museum was housed in the building which Juan de Villanueva had constructed in 1785 to serve as an Academy of Science and Natural History Museum, which had been badly damaged by the French troops before it was finished.

After some repairs and renovations in the building, the Museum was opened to the public in November of 1819 and since then (and in spite of many later vicissitudes) it has been closely associated with the Madrid scene, constituting one of its noblest and most characteristic monuments.

In it, Juan de Villanueva achieved one of the masterpieces of European Neoclassicism (understood without a rigorous frigidness), flexible and harmonious in its distribution and very lovely in the use of materials so typically Madrilenian as red brick and white stone from Colmenar. The difficulties which were doubtlessly occasioned and continue to be occasioned by its adaptation to a use for which it was never created are partially compensated for by its inherent architectural beauty and the force of tradition which visualizes it as the «Museum of Paintings» par excellence.

Spanish painting

The especial history of the Museum and its collections (connected, in the beginning, exclusively with the Royal Collections) limited the content to a certain extent, as far as Spanish artists are concerned, to those who worked for the Crown (from the portrait artists of Philip II through Goya) and to those artists who due to fashion, or taste were considered valuable and desirable though they were working far from Madrid.

The incorporation, in 1872, of the pieces from the closed-down Trinidad Museum (which had been created as a result of the suppression of the convents by the Disentailment Acts under Mendizábal) into the Royal Museum's collection enriched the Madrilenian School and incorporated some worthy «primitives» as well. But there still remained outside of the Museum, or very scarcely represented, the regional schools and almost the entire Medieval period.

The paintings from San Baudelio de Berlanga and those from Santa Cruz de Maderuelo serve as an example of the somber figurative ordering of the Romanesque style, with its almost abstract taste; the International Gothic retables with their delightful episodic fragmentation, their elegant and chivalric view of reality and their dazzling touches of gold are also represented.

Beginning with the second half of the XVth century, Spain begins to have artists of a universal character. With the influence of Flemish realism, Spanish artists create a style of intense expressionism, of which Gallegos is the maximun representative in Castille, along with the Andalusian Bermejo, who works in Aragon.

Pedro Berruguete, who visits Italy in the best moments of the Quattrocento and who knows Piero della Francesca, brings back the first echos of the Renaissance to the Court of the Catholic Kings, Ferdinand and Isabel. In Valencia, where Italian artists are working from 1476 on, there appear works of an exceptional Renaissance beauty. The «Virgin of the Caballero de Montesa» is a good example. Afterwards, Yáñez de la Almedina brings in an extremely vivid echo of Leonardo da Vinci's art, refined with the richness of the Venetian colors. Juan Vicente Maçip and his son Juanes, the former with a Florentine grandness and the latter with a somewhat contrived and facile manner, spread throughout Spain, Roman and Florentine models which are fully XVIth century. In these same years Morales creates his own personal style, between Flemish and Leonardesque, and in the Court of Philip II the official portrait artists, headed by Sánchez Coello, ripen a style of impeccable objectivity and deep psychological characterization. At the same time, El Greco lives isolated in Toledo. He had perhaps arrived with a desire to work in El Escorial, but he creates his passionate and extremely personal world in the intelectual atmosphere of the Imperial city of Toledo.

When El Greco dies in 1634, the first echos of the Tenebrist world have already reached Spain. Its new view of reality —more concrete under a strong light, almost like a theater spotlight— isolates objects in their most immediate material aspect. Ribalta, a Catalan from Solsona who studies in Castille, begins the style in Valencia without totally renouncing the full forms of the Renaissance world. Ribera, a Valencian, who always lives in Italy, creates a broad and grandiose style, which may be counted among the most powerful in the European Baroque period. In Seville, in the shadow of older masters such as Pacheco, the younger Zurbarán and Velázquez are developing, attracted to the sphere of realism, and creating, from a very early time, works of a self-confident mastery. Later, at the Royal court, in contact with the collections of Venetian painting and with a broader outlook thanks to trips to Italy, Velázquez creates his original style in which the possibilities of pictorial technique reach an unequalled self-confident mastery.

The second half of the XVIIth century supposes, in a certain sense, an aesthetic change. The naturalist demands of the first half of the century are succeeded by a Baroque illusionism —dynamic, pompous, decorative—which in Madrid produces the colorists of the Madrilenian School and in Sevilla artists like Murillo and Valdés Leal, in whom direct reality gives way to a more subjective view, amiable in one, dynamic and violent in the other.

The XVIIIth century is an age of minor interest in Spanish painting. The amiable French style and the Italian Rococo with its porcelain fragility still produce the rather interesting figure of Paret, with a refined technique which is diminutive. But the century closes with the colossal figure of Goya, who with his unbounded genius, expressive violence and technical freedom inaugurates all the roads leading to contemporary art.

Italian painting

The Prado Museum, in its origin especially related to the Royal Collection, presents a dazzling panorama of XVIth century Italian painting, especially the Venetian School, for the connection of the great kings Charles V and Philip II with the masters of Venice particularly Titian, is well-known.

Nevertheless, almost none of the «primitives» nor the artists of the early Quattrocento Renaissance are represented here, and even the few things to be seen are unrelated to the Royal Collection and have been introduced at a fairly recent date. The «Annunciation» by Fra Angelico, of such a notable purity, comes from the Descalzas Convent and the Botticellis, with their elegant narrative grace, the Melozzo da Forli and the Taddeo Gaddis were donated by Francisco Cambó in 1940. Only the exceptional Mantegna, one of his purist and most superb works, comes from the Royal Collection.

From the XVIth century, the magnificent series of Raphael, acquired to a great extent by Philip IV, is of an exceptional importance as a whole. Remember the «Portrait of a Cardinal» or the «Way to Calvary». Andrea del Sarto is also represented by some of his masterpieces, and although original works of Leonado da Vinci and Michelangelo are lacking, the art of Luini and the works of some of the more vibrant Mannerists, such as Volterra and Salvisti, present a testimony of the style of those masters.

The great Venetians are amply represented. Thirty-six works by Titian, among them the absolute masterpieces of his art as a painter of portraits and mythological themes; twenty-five Tintorettos, with the exceptional «Washing of the Feet»; and thirteen Veroneses complete —along with other minor artists, and the incomparable Giorgione, who initiated the school— the representation of the art of the City of the Canals in its most glorious moment of sensuality and opulence.

The XVIIth century, for so many years estranged from popular taste and today in the midst of a complete critical reevaluation, offers innumerable works of a very high quality, from the Tenebrism of Caravaggio to the refined academicism of Reni, and including an ample representation of Napolitan masters, which culminates in an extremely abundant collection of works by Luca Giordano, the extremely prolific «Fa Presto», who has in this museum one of the richest collections of his work.

In the XVIIIth century another wave of Italian influence is manifested in Spanish courtly atmosphere. Philip V had already brought the amiable and talented Amiconi to the Court. With Charles III the decoration of the Palacio Nuevo brings in Conrado Giaquinto, of a delicate Rococo grace and an extremely refined colorist sensitivity, and Gian Battista Tiépolo, final and genial representative of Venetian coloring, who leaves here in Spain —where he dies— the last brilliant flashes from his dazzling palette.

On the whole, and excepting the absence of the primitives —a lack which could now be repaired only through great difficulty, due to their rarity and extremely high prices— the Prado presents a very complete view of Italian painting from 1500 on, and the acquaintance with this collection is obligatory for all those who want to know, even in a superficial manner, its splendorous trajectory.

Flemish painting

The extremely close relationship between the Spanish Crown and the Low Countries from the middle of the XVth century on, has made the Prado, whose pieces are fundamentally from the Royal Collections, a museum which must be counted among one of the richest in the world in Flemish painting.

The extremely rich panorama of the «primitives», with their minute realism and dazzlingly polished lighting, may be almost completely followed in the rooms which the Prado has dedicated to them. Dieric Bouts, Van der Weyden —his «Descent from the Cross» is counted among the masterpieces

16

of universal painting of deepest dramatic bearing— Memling, Patenier and then —within the XVIth century— Motsys, Gossaert or Van Orley, with evident echos of the Italian world, fill the rooms of the Museum. An exceptional chapter of Flemish art from these times is the disturbing work of Hieronymus Bosch, swarming with figures which are enigmatic, amusing and problematic in their moralizing and satirical intention, which may be amply studied only in Madrid in the three large triptychs and various single panels which the Prado Museum possesses. Somewhat related to the world of Bosch, that of Bruegel the Elder is also brilliantly represented, if only by a single work. Antonio Moro, the portrait artist of Philip II, was also Flemish and an ample collection of his profound, impeccable portraits are preserved.

After the secession of the Northern States (Protestant Holland), the Spanish Crown maintains its relations only with the Southern States (Catholic Belgium).

The maximun genius of Rubens fills all by itself the history of Flemish painting in the early Baroque period. A favorite painter of the kings, his representation in the Prado is exceptional, due as much to the quality of the works as to their number, for a large part of them come from his estate and are among the most personal and intimate of his works.

Along with Rubens, Van Dyck is also nobly represented, both in his elegant portraits and in his religious compositions. Jordaens, the third great Flemish master from the Baroque period is the least aristocratic and possesses a more plebeyan air. His small panel «The Three Musicians» is one of the most vibrant and lively pictures in the Museum.

The Museum also possesses abundant examples of many minor masters –such as the precise, almost miniaturist-like Bruegel from Velours (son of Bruegel the Elder) or the amusing narrator of bourgeois and popular life David Teniers— with works which are always of an outstanding quality. This does not count the work of innumerable followers of Rubens (some of whom are known only by their signatures on these pictures in the Prado) who collaborate with him in the decorative project commissioned by Philip IV, especially for La Torre de la Parada, a small hunting palace in the Pardo Forest.

In order to know Flemish painting a visit to the Prado Museum is at least as obligatory as one to the museums of the Low Countries themselves.

Other schools Sculptures-Drawings

Because the Prado's collections are so closely connected with the Spanish Crown —and therefore to political developments— historical reasons have caused the Museum to possess few pictures representing the paintings of Spain's political rivals in her moments of maximum splendor. Dutch and English painting are the ones most affected by this circumstance and in fact these are the schools most poorly represented. In any event, and thanks to the colector's enthusiasm of Isabel de Farnesio in the XVIIIth century, a still not overly abundant series of minor Dutch masters entered the Royal Collections and from there were trasferred to the Prado. Although from among these works there are none of the great masters of the characteristic «domestic genre» (no Vermeers, no Peter de Hoochs, no Mieris, no Dous), other less famous artists have left valuable examples of the genre, and beside them there shines a superb Rembrandt acquired by Charles III. Among the English painters there was nothing until after 1939 when an effort was made to fill in this gap with acquisitions of unequal quality, although some of them of evident importance and value.

The case of French painting is different. Although France was a rival in the XVIIth century, the two greatest French painters from this period (Poussin and Lorrain) resided in Rome and major pieces of theirs came to the Spanish Palace along with those of their Italian contemporaries. Later some French painters (Ranc, Van Loo) worked in the Court of the first Bourbon king and left works of evident importance here. Nevertheless, we possess almost nothing by the masters of the XVIIIth century in the gallant, preciosiste style, except for two lovely Watteaus. And, of course, there is nothing from the XIXth century, as exceptionally glorious moment in French painting, but outside of the chronological limits of the Prado.

From Germany, a traditional ally, there are certain important works from the glorious epoch of Renaissance humanism, which crystalizes in Dürer, four of whose masterpieces we possess in the Prado. Cranach is also well represented and a Holbein, a masterful piece, though attributed with reservations, accompanies these works. The unimportant XVIIth century is not represented, but the XVIIIth century offers a magnificent group of Mengs who, along with Tiepolo, his humiliated rival painted in the Palace with a commission from Charles III, and started up a school here.

Although somewhat overshadowed by the staggering wealth of paintings, the Prado also keeps some sculptures worthy of esteem, from Classical Antiquity as well as from the Renaissance and Baroque periods. From the Classical period, the «Diadumenos», a Roman copy of a work by Polyclitus is perhaps the best piece conserved, and along with it may be mentioned a notable series of very lovely Roman marbles and even an exceptional head in bronze.

From later times the group of bronzes by Leon and Pompeyo Leoni, commissioned by Philip II, constitutes a series of the first order. And still to be mentioned is the Dauphin's Treasure, a dazzling collection of gold and silver work which belonged to the father of Philip V, and the collection of drawings, including the incomparable group by Goya (more than 400 pieces) which is unequalled in the world.

Le Musée du Prado

Le Musée du Prado

Le Musée du Prado, l'un des plus célèbres musées d'art du monde, et probablement la meilleure pinacohtèque de l'Univers, doit son origine au moins animé et au moins sympathique de tous les rois d'Espagne: Ferdinand VII. Bien que l'idée de rendre accessibles au public les collections royales ait été conçue par l'ephémère Joseph Bonaparte, une fois la guerre d'Indépendance terminée, ce fut paradoxalement Ferdinand VII qui en fit une réalité, matérialisant ainsi une des idées les plus heureuses de l'esprit de la Révolution qu'il haïssait tant. Il fut secondé dans son initiative par sa femme, Isabelle de Bragance, qui n'en vit pas l'achèvement étant morte un an auparavant. L'édifice, construit en 1785 par Juan de Villanueva, était destiné à abriter l'Académie des Sciences et une Galerie d'Histoire Naturelle; avant d'être terminé, il avait été très endommagé par les troupes françaises et, après quelques hésitations, il fut consacré à la garde des collections royales.

Après quelques travaux de restauration et d'aménagement, le Musée fut ouvert au public en Novembre 1819. Depuis lors, malgré bien des vicissitudes, il fait partie du paysage madrilène dont il est l'un des monuments les plus caractéristiques et les plus nobles.

L'edifice de Juan de Villanueva est l'un des chefs-d'oeuvre du néoclassicisme européen. Il est conçu sans froideur ni rigorisme, ordonné harmonieusement et avec grâce, et l'utilisation des matériaux typiquement madrilénes, tels que la brique rouge et la pierre blanche de Colmenar, le rend très beau. Son adaptation à un usage pour lequel il n'était pas destiné, a provoqué et provoque encore des difficultés, compensées en partie par sa propre beauté architecturale et par le poids de la tradition qui voit maintenant en lui le «Musée de Peintures» par excellence.

De récentes mesures ont incorporé au Prado les fonds de l'ancien Musée d'Art Moderne qui s'est installé dans le batiment voisin du Cason del Buen Retiro. Bien que, de fait, elles appartiennent déjà à part entière au Musée du Prado, ces collections de peinture et sculpture du XIXᵉ siècle maintiennent leur unité et une certaine indépendance. Récemment, le «Guernica» de Picasso s'est uni à l'ensemble, constituant ainsi une enclave de l'art contemporain le plus significatif au coeur du vieux Prado historique.

Peinture espagnole

L'histoire particulière du Musée et de ses collections dont l'origine est exclusivement liée aux collections royales, d'une certaine façon a limité son contenu, en ce qui concerne les artistes espagnols, aux seuls peintres qui ont travaillé pour la Couronne (depuis les portraitistes de Philippe II, jusqu'à Goya), et à ceux que la mode ou le goût ont rendu côtisables et désirables bien qu'ils aient travaillé loin de Madrid.

L'incorporation au Musée Royal, en 1872, des fonds du Musée disparu de la Trinité qui avait été créé avec ceux des couvents supprimés par la loi de désamortisation de Mendizábal, a enrichi l'Ecole Madrilène et a également permis l'entrée de quelques «primitifs» de valeur. En restaient absentes ou à peine représentées, les écoles régionales et presque tout ce qui concerne l'époque médiévale.

Ces lacunes ont été ensuite comblées récemment avec des acquisitions et des dons et, aujourd'hui, on peut avoir une idée de l'evolution de la peinture espagnole en parcourant les salles du Prado.

Les peintures de Saint Baudil de Berlanga et de Sainte Croix de Maderuelo servent d'exemplaire qui nous montre la disposition solennelle figurative de l'art roman, avec son goût presque abstrait. Les rétables du gothique international avec leur délicieux compartimentage à épisodes, leur vision du réel, élégante et chevaleresque et leurs ors éblouissants, y sont aussi représentés.

A partir de la seconde moitié du XVème siècle, nous commençons à posséder des artistes de classe universelle. Sous l'influence du réalisme flamand, les artistes espagnols créent un style fortement expressionniste dont Gallego est le meilleur représentant en Castille, ainsi que l'andalou Bermejo qui travaille en Aragon. Pierre Berruguete qui visite l'Italie dans la meilleure période du XVème siècle et connaît Piero de la Francesca, apporte les premiers échos de la Renaissance à la Court des Rois Catholiques.

A Valence, où, dès 1476 travaillent des artistes italiens, paraissent des oeuvres d'une exceptionnelle beauté, Reinaissance. La Vierge du Chevalier de Montésa, est un bon exemplaire appartenant encore au XVème siècle. Ensuite, Yáñez de la Almedina apporte un écho très vivant de l'art de Léonard de Vinci, nuancé d'un riche coloris vénitien. Juan Vicente Macip et son fils Juanes, répandent en Espagne les modèles florentins et romains du milleu du XVIème siècle, le premier avec une magnificence florentine, le second d'une manière un peu artificielle et facile. Au cours de ces mêmes années, Morales crée son style si personnel situé entre l'art flamand et celui de Léonard da Vinci, et, à la Cour de Philippe II, les portraitistes officiels, avec Sánchez Coello à leur tête, mûrissent un style d'une objectivité impeccable unie à une profonde caractérisation psychologique.

A côte d'eux, mais isolé à Tolède, vit le Gréco, venu sans doute avec le désir de travailler pour l'Escorial et, qui dans l'atmosphère intellectuelle de la ville impériale, se crée un monde passionné et si personnel. Quand le Gréco meurt, en 1614, les premiers échos du monde ténébriste, sont déjà parvenus en Espagne, avec leur nouvelle manière de voir le réalité, rendue plus tangible sous un éclairage cru qui fait se détacher, comme le ferait un projecteur de théâtre, son aspect matériel le plus immédiat.

Ribalta, catalan, originaire de Solsona, formé en Castille, initie le ténébrisme à Valence, sans entièrement renoncer aux formes pleines du monde de la Renaissance. Un valencien, Ribera, qui vécut toujours en Italie, crée un style ample et grandiose qui compte parmi les plus puissants du Baroque Européen.

A Séville, à l'ombre de maîtres plus vieux, tels que Pacheco, grandissent les jeunes Zurbarán et Vélazquez, attirés par la sphère du réalisme et créant de bonne heure, des oeuvres d'un talent trés sûr. Plus tard $\bar{a}$ la cour, en contact avec les collections de peinture venitienne et grâce $\bar{a}$ l'ampleur de vue qu'il a acquit par ses voyages en Italie, Vélazquez crée son prope style dans lequel les posibilites de sa technique atteignent une assurance sans égale.

Le seconde moitié de XVIIème siècle présente, d'une certaine façon, un changement d'esthétique. A la rigueur naturaliste de la première moitié du siècle, succède un illusionisme baroque, dynamique, grandiloquent et décoratif qui produit à Madrid les coloristes de l'Ecole Madrilène et, à Séville, des artistes tels que Murillo et Valdés Léal, pour lesquels la réalité immédiate céde le pas à une vision plus subjective, aimable chez l'un, dynamique et violente chez l'autre.

Le XVIIIème siècle est un siècle de moindre intérêt pour notre peinture. Le français aimable, le rococo italien avec sa fragilité de porcelaine donnent encore un fruit de certain intérêt avec Paret, dont la technique raffinée est vive et miniaturiste de même dans le genre nature-morte, Menéndez peint des fruits et des poteries avec une objectivité impeccable. Mais le siècle se termine sur la figure magistrale de Goya, qui inaugure tous les chemins de l'art contemporain, avec son génie débordant, sa violence expresive et sa liberté technique.

Peinture italienne

Lié spécialement par son origine, aux collections royales, le Musée du Prado présente un éblouissant panorama de la peinture italienne du XVIème siécle, spécialement de la vénitienne, du fait que l'attachement des grands fois Charles V et Philippe II aux maîtres de Venise, et en particulier au Titien, est connu.

Toutefois, on ne conserve ici presque rien ni des primitifs ni des artistes de la première renaissance artistique du XVème siècle, et même le peu qu'on peut en voir est étranger aux collections royales, et y a été mis il y a peu de temps. «L'Annonciation», de Fra Angelico, d'une si noble pureté, provient du Couvent des Déchaussées, et les Boticelli, avec leur élégante grâce narrative, le Merlozo da Foril et les Tadeo Gaddi, furent offerts par François Cambo en 1940. Seul, l'exceptionnel Mantegna, avec une de ses oeuvres le plus pures et les plus solennelles, provient des collections royales. Du XVIème siècle, il y a la magnifique série de Raphaël (dont l'ensemble est d'une exceptionnelle importance* et qui fut réunie, en grande partie, par Philippe IV), Rappelons le portrait du Cardinal ou le Chemin du Calvaire. Andrea del Sarto y est aussi, représenté par quelques unes de ses oeuvres principales et, bien qu'il manque des oeuvres signées par Léonard da Vince et Michel-Ange, l'art de Luini et les oeuvres des maniéristes les plus vibrants, comme Volterra et Salviati, laissent une preuve du style de ces maîtres. Les grands vénitiens sont amplement représentés. Trente-six oeuvres du Titien (parmi les chefs-d'oeuvre absolus de son art de portraitiste et de peintre de thèmes mythologiques) vingt-cinq de Tintoret avec l'exceptionnel «lavement des Pieds», et treize de Véronèse, ainsi que d'autres artistes moins connus et l'incomparable Giorgione, qui fonda l'Ecole, complètent la représentation de l'art de la ville des lagunes à son moment le plus glorieux de sensualité et d'opulence.

Le XVIIème siècle, si longtemps éloigné de la sensibilité générale, et aujourd'hui en pleine revalorisation critique, compte d'innombrables oeuvres de très haute qualité, depuis le ténébrisme de Caravage, à l'académisme raffiné de Reni, en passant par une ample représentation des maîtres napolitains, qui culmine avec une très abondante collection d'oeuvres de Luca Giordano, le très fécond «Fa Presto», qui trouve ici un des plus riches ensembles de son oeuvre immense.

Au XVIIIème siècle, on voit une autre grande vague italienne dans notre milieu courtisan. Philippe V nous avait déjà apporté l'habile et aimable Amiconi. Avec Charles III, la décoration du nouveau palais amène Conrad Giaquinto, qui a une très délicate grâce style rococo, et une sensibilité raffinée de coloriste, et Gian Battista Tièpolo, dernier et génial représentant du colorisme vénitien qui laisse ici en Espagne —où il mourût— les éclats de son éblouissante palette.

Dans l'ensemble, et mis à part l'absence des primitifs (absence déjà très difficile à compenser, vu leur rareté et leurs prix très élevés), le Prado présente une vision très complète de la peinture italienne à partir du XVème siècle, et sa connaissance est obligatoire pour ceux qui prétendent connaître, même superficiellement, son cours éclatant.

Peinture flamande

Les relations très étroites existant entre la Couronne d'Espagne et les Pays Bas, depuis le milieu du XVème siècle, ont fait que le Prado, dont les fonds proviennent essentiellement de collections royales, compte parmi les musées les plus riches du monde en peinture flamande.

Dans les salles qui leur sont consacrées au Prado, on peut parcourir presque intégralement le très riche panorama des primitifs, avec leur réalisme minutieux et leur lumière nette et aveuglante. Les chefs-d'oeuvre du Maître de Flémalle, de Dierick Bouts, de Van der Weyden, dont «La Descente de Croix» se situe parmi les chefs-d'oeuvre de la plus haute portée dramatique de la peinture universelle, de Menling, de Patinir, et ensuite au XVIème siècle, celles de Metsys, Gossaert ou Van Orley, avec d'évidentes raisonnances du monde italien, remplissent les salles du Musée. Chapitre exceptionnel dans l'art flamand de cette époque, l'oeuvre inquiétante de Bosch, fourmillante de figures énigmatiques, amusantes et dont l'intention moralisatrice et satirique est problématique, peut être étudiée à fond uniquement à Madrid, à travers les trois grands triptyques et plusieurs peintures sur bois, isolées, que conserve le Prado.

Un peu en relation avec le monde du Bosco, celui de Brueghel le Vieux est aussi brillamment représenté, bien que par une seule oeuvre. Le portraitiste de Philippe II, Antonio Moro, était lui aussi flamand; on conserve de lui une vaste collection de portraits profonds et impeccables.

Après la séparation des Etats du Nord (Hollande protestante) la Couronne d'Espagne maintient uniquement des liens avec les Etats du Sud, la Belgique catholique.

Le génie supérieur de Rubens remplit à lui seul l'histoire de la peinture flamande dans la première époque du Baroque. Peintre favori des rois, sa représentation au Prado est exceptionnelle, tant par le nombre de ses oeuvres que par leur qualité, car bon nombre d'entre elles, proviennent de sa succession et sont la partie la plus personnelle et intime de son oeuvre.

Ainsi que Rubens, Van Dyck est, lui aussi, noblement représenté tant par ses portraits élégants que par ses compositions religieuses. Jordaens, le troisième grand maître flamand du Baroque, est le moins aristocratique d'entre eux, avec une grâce plébéienne. Son petit tableau «Les trois Musiciens» est un des cadres les plus vibrants et vifs du Musée.

Le Musée conserve aussi des exemples abondants de bien d'autres maîtres secondaires d'une qualité toujours exceptionnelle tels que le minutieux, presque miniaturiste, Brueghel-de-Velours, fils de Brueghel-le-Vieux, ou bien, l'amusant croquiste de la vie bourgeoise et populaire, David Teniers, sans compter l'oeuvre d'innombrables disciples de Rubens (dont quelques uns ne sont connus que par leurs signatures sur ces cadres du Prado), qui collaborèrent avec lui dans le travaus de décoration commandés par Philippe IV, en particulier ceux de la Tour de la Parade, pavillon de chasse situé sur la colline du Prado.

Pour connaître la peinture flamande, la visite du Prado est au moins aussi indispensable que celle des musées des Pays-Bas eux-mêmes.

Autres ecoles Sculptures-Dessins

Du fait que les collections du Prado aient été très intimement liées à la couronne d'Espagne, donc aux aléas politiques, des raisons historiques font que le Musée possède peu d'oeuvres de certains pays rivaux de l'Espagne au temps de sa plus grande splendeur. Les artistes les plus affectés par ces circonstantes ont été les Anglais et les Hollandais; en effet ces Ecoles sont celles qui y sont le plus pauvrement représentées. Malgré cela, grâce au goût de collectionneur d'Isabelle Farnèse au XVIIIème siècle, une série peu abondante des petits maîtres hollandais entra dans les collections royales, et passa ainsi au Prado. Parmi les tableaux de cette provenance ne figure aucune oeuvre de peintres les plus importants dans le genre intime si caractéristique: aucun Vermeer, aucun Peter de Hooch, Mieris ou Don. Mais d'autres, moins célèbres ont laissé des toiles de valeur et auprès de ceux-ci brille un superbe Rembrandt, acquis par Charles III.

Le Prado ne posséda pas de peintres anglais jusqu'en 1939. A cette époque là un effort fut fait pour comber cette lacune avec des acquisitions de qualité inégale, bien que certaines possédent un contenu et des mérites évidents.

En ce qui concerne les artistes français, les cas est différent. Au XVIIIème siècle, elle fut rivale de l'Espagne. Les deux plus grands peintres français de cette époque (Poussin et Lorrain) résidèrent à Rome et des oeuvres capitales signées d'eux arrivèrent au Palais en même temps que des tableaux italiens contemporains. De plus, quelques artistes français (Ranc, Van Loo) travaillèrent à la Cour du premier Bourbon et laissèrent ici des oeuvres d'une importance incontestable. Cependant nous ne possédons presque rien des maîtres galants et précieux du XVIIIème siècle (Boucher, Fragonard, Chardin), exception faite por deux beaux Watteau. Et, bien entendu, rien du XIXème siècle, extraordinaire époque de gloire de la peinture française, déjà hors du cadre chronologique du Prado.

De l'Allemagne, alliée traditionnelle, on trouve quelques grands ouvragres de l'illustre période de la Renaissance, où l'humanisme se concrétisa avec Dürer, dont nous possédons quatre chefs-d'oeuvre. Cranach, lui-aussi, est bien représenté; il est accompagnné d'un magistral Holbein, dont l'authenticité reste discutée. Nous ne détenons rien du XVIIème siècle, époque importante. Mais le XVIIIème siècle nous offre un ensemble magnifique de Mengs qui comme Tièpolo, son humble rival, peignit sur commande au Palais de Charles III et fit école ici.

Peu à leur place, à côté d'une telle profusion de peintures, se trouvent aussi au Prado quelques sculptures dignes d'estime, tant de l'Antiquité classique, que de la Renaissance et du Baroque.

De l'époque antique, le «Diadumenos», copie romaine de Polycète, est sans doute, le meilleur exemplaire conservé; avec lui, on peut signaler une appréciable série de très beaux marbres romains, et même une tête en bronze tout à fait exceptionnelle. Des époques postérieures, l'ensemble des bronzes de Léon et Pompée Léoni, commandés par Philippe II, constitue une suite de premier choix.

Il faut encore mentionner ce qu'on appelle le «Trésor du Dauphin» éblouissant ensemble d'orfèvrerie, qui appartint au père de Philippe V, et les collections de dessins parmi lesquels l'oeuvre incomparable de Goya (plus de quatre cents dessins) qui reste sans pareille dans le monde.

Indice de Láminas

ESCUELA ESPAÑOLA

31. VELAZQUEZ: El Niño de Vallecas
32. VELAZQUEZ: La Infanta Margarita
33. ALONSO CANO: Virgen con el Niño
34. MURILLO: Sagrada Familia del Pajarito
35. MURILLO: Los Niños de la concha
36. MURILLO: Inmaculada Concepción
37. MURILLO: Visión de San Bernardo
38. MURILLO: El sueño del patricio
39. CARREÑO: El Duque de Pastrana
40. CLAUDIO COELLO: Triunfo de San Agustín
41. MELENDEZ: Bodegón
42. PARET: Carlos III, comiendo ante su corte
43. GOYA: Autorretrato
44. GOYA: El quitasol
45. GOYA: El cacharrero
46. GOYA: La familia de Carlos IV
47. GOYA: La Maja desnuda
48. GOYA: Los Fusilamientos del 3 de Mayo
49. GOYA: El Aquelarre
50. GOYA: Saturno

ESCUELA ITALIANA

51. FRA ANGELICO: La Anunciación
52. MANTEGNA: La Dormición de la Virgen
53. ANTONELLO DE MESINA: Cristo Muerto
54. BOTTICELLI: Historia de Nastaglio degli Honesti
55. RAFAEL: Sagrada Familia del Cordero
56. RAFAEL: Camino del Calvario
57. RAFAEL: El Cardenal
58. CORREGGIO: Noli me tangere
59. ANDREA DEL SARTO: Asunto místico
60. TIZIANO: Autorretrato
61. TIZIANO: Bacanal
62. TIZIANO: Carlos V en Mühlberg
63. TIZIANO: Danae
64. VERONES: Moises
65. VERONES: Vénus y Adonis
66. TINTORETTO: El Lavatorio
67. CARAVAGGIO: David
68. GUIDO RENI: Hipomenes y Atalanta
69. TIEPOLO: Triunfo de la Eucaristía

ESCUELA FLAMENCA

70. MAESTRO DE FLEMALLE: Santa Bárbara
71. VAN DER WEYDEN: El Descendimiento
72. DIERIC BOUTS: Políptico
73. MEMLING: Tríptico de la Epifania
74. EL BOSCO: Adoración de los Magos
75. EL BOSCO: El Jardín de las Delicias
76. EL BOSCO: La mesa de los Pecados Capitales
77. PATINIR: El paso de la laguna Estigia
78. QUINTIN METSYS: Cristo presentado al pueblo
79. BRUEGHEL EL VIEJO: Triunfo de la Muerte
80. ANTONIO MORO: La reina María Tudor
81. RUBENS: Retrato ecuestre del Duque de Lerma
82. RUBENS: Las tres Gracias
83. RUBENS: El Jardín del Amor
84. RUBENS: La Sagrada Familia
85. VAN DYCK: Coronación de Espinas
86. VAN DYCK: Autorretrato con Sr. E. Porter
87. JORDAENS: La familia del pintor
88. TENIERS: «El rey bebé»
89. J. BRUEGHEL y otros: La Vista y el Olfato
90. SNYDERS: La Frutera

ESCUELA HOLANDESA

91. REMBRANDT: Artemisa
92. METSU: Gallo muerto

ESCUELA FRANCESA

93. POUSSIN: El Parnaso
94. POUSSIN: David vencedor de Goliat
95. CLAUDIO DE LORENA: Enbarco de S. Francisca
96. WATEAU: Capitulaciones de boda y baile campestre

ESCUELA ALEMANA

97. DURERO: Autorretrato
98. DURERO: Adán
99. VALDUNG GRIEN: Las Edades y la Muerte
100. MENGS: Retrato de María Luisa de Parma

LAMINAS

1

MADERUELO
Frescos de Santa Cruz de Maderuelo

Un ejemplo característico de pintura mural románica es el conjunto procedente de la ermita segoviana de Santa Cruz de Maderuelo, íntegramente cubierta hacia la mitad del siglo XII por una serie de frescos que presentan, en los muros laterales, los Apóstoles; en la bóveda, el Pantocrátor en la mandorla mística; en el testero, el Cordero, la Magdalena a los pies de Cristo y la Adoración de los Reyes, y en el muro de entrada, la Creación de Eva y el Pecado original. Todo el conjunto, pasado a lienzo, se instaló en el Museo en 1946, y hace posible el estudio del solemne estilo, antinaturalista pero intensamente expresivo, del mundo románico.

——

A characteristic example of Romanesque mural painting is this ensemble from the Segovian hermitage, Santa Cruz de Maderuelo, entirely covered in the mid-XIIth century by a series of frescos showing the Apostles on the lateral walls, the Pantocrator in the mystic mandorla on the vault, the Agnus Dei, Mary Magdalen at Christ's feet and the Adoration of the Magi on the altar wall, and on the entrance wall, the Creation of Eve and Original Sin. The entire group, transferred to canvas, was installed in the Museum in 1946 and it offers a chance to study the antinaturalistic but intensely expresive, solemn style of the Romanesque world.

——

L'ensemble provenant de l'ermitage Ségovien de Santa Cruz de Maderuelo, dont les murs latéraux furent entièrement recouverts de fresques représentant les Apôtres, vers la moitié du XIIème siècle, est un example caractéristique de la peinture murale romane; sur la voûte, le Pantocrator dans la mandorle mystique; sur le mur de front, l'Agneau, Madeleine aux pieds du Christ et l'Adoration des Rois; sur le mur d'entrée, la Création d'Eve et le Péché Originel. L'ensemble complet, mis sur toile, a été installé au Musée en 1946 et rend possible l'étude du style solennel, antinaturaliste mais intensément expressif, du monde roman.

2

Nicolás FRANCES (1434-1468)
Retablo de la Vida de la Virgen y de San Francisco (detalle central)
Cat. n.º 2545

Como ejemplo soberbio del llamado estilo «gótico internacional», que puebla Europa, a comienzos del siglo XV, con exquisitas y frágiles composiciones narrativas de refinada elegancia lineal, ritmos ondulantes y deliciosos pormenores de observación cotidiana, cuenta el Museo con un gran retablo, procedente de La Bañeza (León), obra indudable del Maestro Nicolás Francés, pintor del otro lado de los Pirineos, que trabajó en León hasta 1468, y que junta a todas las características lineales del estilo un sentido cromático delicado y personal y ciertos toques de observación realista y juguetona que delatan ya la influencia flamenca.

———

A superb example of the so-called «International Gothic» style which extends throughout Europe at the beginning of the XVth century, with exquisite and fragile narrative compositions of refined lineal elegance, undulating rhythms and delightful details from the observation of daily life, is the Museum's large retable from La Bañeza (León), doubtlessly the work of Master Nicholas Frances. This painter from the other side of the Pyrenees who worked in León until 1468 combines all the lineal characteristics of te style, a delicate and personal chromatic feeling and certain touches of playfull, realistic observation which already show a Flemish influence.

———

Le Musée du Prado possède un grand rétable provenant de La Bañeza (León), superbe exemple de ce qu'on a appelé le style «gothique international» qui emplit l'Europe au début du XVème siècle d'exquises et fragiles compositions narratives, d'une élégance de lignes raffinée, aux rythmes ondulants, et pleins de délicieux détails observés dans la vie quotidienne.
Ce rétable est très certainement une oeuvre du Maître Nicolas Francès, peintre d'outre Pyrénées qui travailla à León jusqu'en 1468. Il sut unir, à toutes les caractèristiques de ce style gothique, un sens des couleurs délicat et personnel joint à certaines touches d'observation réaliste et amusante qui annoncent déjà l'influence flamande.

3

Bartolomé BERMEJO (activo entre 1489-1495)
Santo Domingo de Silos
Cat. n.º 1323   (T. 2,42 × 1,30)

Bartolomé Bermejo, nacido en Córdoba, pero que trabaja en la Corona de Aragón, es quizá el mejor ejemplo español del obsesivo afán individualizador que introdujo el arte flamenco. Su Santo Domingo de Silos entronizado, procedente de Daroca, tiene un rostro de intensísima vivacidad y realidad individual a lo Van Eyck, pero el gusto por la riqueza de los brocados de oro y cierta concepción un tanto plana, como de tapiz, de indudable origen musulmán, es decir mudéjar, delatan claramente su procedencia española y su vinculación a nuestro arte.

———

Bartolomé Bermejo, born in Córdoba, but who works under the Crown of Aragon, is perhaps the best Spanish example of the obsessive desire for individualization which Flemish art introduced. His «St. Dominic of Silos» on the throne, from Daroca, has a face of an extremely intense vivacity and individual reality in the vein of Van Eyck, but the preference for the rich, golden brocades and a somewhat flat, tapestry-like conception, of indubitable Moorish or Mudejar influence, clearly show the Spanish origin and connection with our art.

———

Bartholomé Bermejo, né à Córdoue, mais qui travailla pour la Cour d'Aragon est, peut-être, le meilleur exemple espagnol de l'intense effort individuel fait pour introduire l'art flamand. Dans son «Intronisation de Saint Dominique de Silos», provenant de Daroca, le Saint a un visage très vivant et personnel à la manière de Van Eyck, mais le goût du peintre pour les riches brocart d'or et une certaine facture un peu plate comme celle d'un tapis, indiscutablement à la manière musulmane (c'est à dire «mudejar»), dénotent clairement son origine espagnole et son rattachement à notre art.

4

Fernando GALLEGO (1466-1507)
La Piedad o Quinta Angustia
Cat. n.º 2998 (T. 1,18 × 1,02)

Gallego, seguramente salmantino, forma también su estilo en las lecciones flamencas, especialmente en Van der Weyden, cuyo patetismo extremado iba bien a su temperamento. La Piedad, firmada, es una de sus obras maestras. La crispación de los rostros del Cristo muerto y la Virgen llorosa, ambos francamente feos y nada estilizados, sino, por el contrario, dados en toda su desagradable crudeza, son magnífico ejemplo de la fuerza expresiva del maestro, a base de distorsionar la realidad de modo análogo a lo que realizaban ciertos pintores alemanes, sus contemporáneos.

———

Gallego, surely from Salamanca, also forms his style in view of the Flemish examples, especially Van der Weyden, whose extreme pathos went well with Gallego's character. The «Pietà», a signed work, is one of his masterpieces. The grimaces on the faces of Christ and the crying Virgin, both frankly ugly and not in the least stylized, but rather, on the contrary, presented with all their disagreeable crudity, are magnificent examples of the master's expressive forcefulness, based on a distortion of reality in a manner analogous to what was being done by certain German contemporaries of his.

———

Gallego, certainement de Salamanque, doit aussi son style aux leçons flamandes, spécialement à Van der Weyden dont le pathétisme excessif convenait à son tempérament. La Piétá qui porte sa signature, est l'un de ses chefs-d'oeuvre. Les visages crispés du Christ mort et de la Vierge en larmes, tous deux franchement laids et sans styles sont présentés dans leur affreuse crudité et sont de magnifiques exemples de la force d'expression du maître, basée sur la distorsion de la réalité, à la manière de certains peintres allemands, ses contemporains.

MISERERE MEI DNE

INRI

FERNAD9 GALLEGS

5

Pedro BERRUGUETE (1450-1504)
Auto de Fe presidido por Sto. Domingo
Cat. n.º 618   (T. 1,54 × 0,92)

Pedro Berruguete representa la fusión de la técnica pictórica flamenca tradicional en la España del siglo XV y las novedades ya renacentistas en el tratamiento de la luz y los espacios, aprendidos en Italia. El «Auto de fe», episodio de la vida de Santo Tomás, es una vivacísima estampa de sobrio realismo a la castellana, donde el ritmo de la composición y el desnudo de los reos responden ya a una sensibilidad renaciente.

———

Pedro Berruguete represents the fusion of the Flemish pictorial technique traditional in XVth-century Spain and the already Renaissance innovation in the treatment of light and space, which he learned in Italy. The «Auto-da-fe», an episode from the life of St. Dominic, is an extremely life-like scene of sober realism in the Castilian manner, in which the rhythm of the composition and the nude forms of the accused correspond to an already Renaissance sensibility.

———

Pedro Berruguete représente la fusion de la technique de la peinture flamande traditionnelle dans l'Espagne du XVème siècle et des nouveautés de la Renaissance dans la manière de traiter la lumière et l'espace, apprises en Italie. «L'Autodafe», épisode de la ve de Saint Dominique de Guzman, est une très vive image du surréalisme castillan, où le rythme de la composition et le nu des accusés répondent déjà à une sensibilité renaissante.

6

Fernando YAÑEZ DE LA ALMEDINA
(1505-1531)
Santa Catalina
Cat. n.º 2902   (T. 2,12 × 1,12)

Yáñez de la Almedina, pintor manchego educado en Italia bajo la doble influencia de Leonardo y de los venecianos, ha dejado en su Santa Catalina una de las más bellas figuras de toda la pintura española del siglo XVI, envuelta en el delicado misterio del espíritu de Leonardo, pero construida con sólida monumentalidad que subrayan, además, los desnudos muros que le sirven de fondo. Yáñez, con su inseparable compañero Llanos, pintaba en 1509 en la catedral de Valencia, y esta sobria, melancólica y desdeñosa hija de la Gioconda no deberá ser muy posterior a esa fecha.

————

Yáñez de la Alamedina, a painter from La Mancha educated in Italy under de double influence of Leonardo and the Venetians, has left in his «St. Catherine» one of the most lovely figures in all of XVIth-century Spanish painting, enveloped by a mysterious delicacy of a Leonardesque spirit, but composed with a solid monumentality underlined by the bare walls in the background. Yáñez, along with his inseparable companion Llanos, painted at the Valencia Cathedral in 1509 and this somber, melancholy and haughty daughter of La Gioconda is probably of a not much later date.

————

Yáñez de la Alamedina, peintre de la Manche, élevé en Italie sous la double influence de Léonard de Vinci et des Vénitiens, a laissé avec sa Sainte Catherine, l'une des plus belles figures de toute la peinture espagnole du XVIème siècle. Bien qu'enveloppée du délicat mystère de l'esprit de Léonard, elle est construite avec une solidité monumentale qui, de plus, est soulignée par les murs nus qui lui servent de fond. Yáñez, ainsi que son inséparable compagnon Llanos, peignait en 1509 dans la cathédrale de Valence, et l'on pense que cette sobre, mélancolique et dédaigneuse fille de la Joconde ne doit pas être postérieure à cette date.

7

Juan de JUANES, Vicente Juan Masip (1510-1579)
La Ultima Cena
Cat. n.º 846   (T. 1,16 × 1,91)

Artista muy conocido y de amplísima fama popular es Juan de Juanes, el «Rafael español», como se le ha llamado con notoria exageración. En realidad se ha beneficiado de la confusión de su obra con la de su padre, Vicente Masip, de más calidad y más directamente italiano en su sensibilidad. De todos modos, Juanes, de dibujo firme y color rico, a pesar de ciertos convencionalismos piadosos y de una evidente monotonía en los tipos, consigue a veces aciertos de identificación con la devoción española que han mantenido su fama y dado popularidad a sus obras.

———

A very well-known artist of extremely widespread fame, Juan de Juanes, has been called, with notorious exaggeration, the «Spanish Raphael». In reality, he has benefitted from the confusion of his work with that of his father, Vicente Masip, of higher quality and more directly Italian in his taste. In any event, Juanes, with a strength of line and richness of color, in spite of certain pious conventionalisms and an obvious monotony in the types portrayed, is sometimes successful in identifying Spanish devotional tendencies, which has made his works popular and maintained his fame.

———

Juan de Juanes est un artiste très connu et très populaire. On l'a appelé avec beaucoup d'exagération «le Raphaël espagnol». Il a, en réalité, bénéficié de la confusion faite entre son oeuve et celle de son père, Vicente Masip, de meilleure qualité et d'une sensibilité plus directement italienne. De toutes façons, l'ouevre de Juanes avec son dessin ferme et sa richesse de couleurs, malgré un certain conformisme pieux et des physionomies monotones, réussit à s'identifier avec la dévotion espagnole, ce qui explique la permanence de sa renommée et la popularité faite à son oeuvre.

8

Luis de MORALES «El divino» (1500-1586)
La Virgen y el Niño
Cat. n.° 946   (T. 0,43 × 0,32)

Morales, llamado tradicionalmente «El divino» por su devota unción, es una curiosa síntesis de sensibilidad italiana renacentista, de inspiración leonardesca, y de tendencia preciosista, minuciosa en el detalle, de tradición flamenca. A la vez, una personalísima distinción elegante y una casi enfermiza melancolía lo emparenta con los más refinados ejemplos del manierismo europeo.

———

Morales, traditionally called «the Divine One» due to his pious treatment of the subject, is a curious synthesis of Italian Renaissance sensibility, of a Leonardesque inspiration, and of a preciosity tendency, minute in detail, in the Flemish tradition. At the same time, an extremely personal, elegant distinctiveness and an almost sickly melancholy connect him with the most refined examples of Spanish Mannerism.

———

Morales, appelé traditionnellement «Le Divin» à cause de sa piété dévote, est une curieuse synthèse de sensibilité italienne renaissante, d'inspiration léonardesque et de tendance à la préciosité, minutieux dans le détail, selon la tradition flamande. En même temps, une distinction élégante et très personnelle ainsi qu'une mélancolie presque maladive l'apparentent aux exemples les plus raffinés du manièrisme européen.

9

Alonso SANCHEZ COELLO (1531-1588)
El Príncipe Don Carlos
Cat. n.° 1136   (L. 1,09 × 0,95)

En la segunda mitad del siglo XVI cristalizada un tipo de retrato cortesano, en buena parte creado por el holandés Antonio Moro, donde adquiere una importancia excepcional la minuciosa plasmación de los riquísimos trajes palaciegos, sobre los cuales emerge la faz del retratado con altiva expresión, fría y distante. Sánchez Coello, discípulo de Moro, supo fundir la objetividad implacable de la tradición nórdica con la blanda y cálida tactilidad que aprendió en los venecianos, Tiziano especialmente.

———

In the half of the XVIth century, a type of courtly portrait crystalizes which in good measure is created by the Dutch painter Antonio Moro. In it, the minute portrayal of the extremely luxurious courtly dress acquires an exceptional importance and above this emerges the face of the person portrayed with a cold, distant, haughty expression. Sánchez Coello, a student of Moro's, knew how to blend the implacable objectivity of the Nordic tradition with the soft, warm tactile sense which he learned from the Venetians, Titian in particular.

———

Dans la seconde moitié du XVIème siècle, se forme un prototyppe du portrait de cour, créé principalement par le hollandais Antonio Moro, où la reproduction minutieuse des très riches habits de cour, d'où émerge la face altière, froide et distante du modèle, acquiert une importance exceptionnelle. Sánchez Coello, disciple de Moro, a su fondre l'objectivité implacable de la tradition nordique avec la touche douce et chaude apprise des Vénitiens, spécialement du Titien.

192.

10

Dominico Theotocopoulos, llamado EL GRECO
(1540-1614)
La Trinidad
Cat. n.° 1824   (L. 3,00 × 1,79)

La Trinidad, procedente del retablo de Santo Domingo el Antiguo, de Toledo, es la primera obra de empeño que realiza el Greco apenas llegado a España, en 1577. En ella se manifiestan con evidencia los rasgos de su formación
veneciana, en el colorido rico, acordado en gama fría, y la sugestión mi-
guelangelesca en el hermosamente atlético cuerpo de Cristo.

———

The «Holy Trinity», which comes from the retable of Santo Domingo el
Antiguo in Toledo, is the first commissioned work which El Greco receives
when he has scarcely arrived in Spain in 1577. In it may obviously be seen
the evidence of his Venetian training in the rich, harmonious colors of a cold
range and a Michelangelesque suggestion in the beautifully athletic body of
Christ.

———

La Trinité, provenant du rétable de Saint Dominique L'Antique de Tolède,
est la première oeuvre d'intérêt que réalisa Le Gréco à peine arrivè en Espagne en 1577. On y trouve, mises en évidence, les caractéristiques de sa forma-
tion vénitienne, dans les riche coloris, harmonisés en une gamme froide, et le
souvenir de Michel-Ange dans le très beau corps athlétique du Christ.

11

Dominico Theotocopoulos, llamado EL GRECO
(1540-1614)
San Andrés y San Francisco
Cat. n.° 2819   (L. 1,67 × 1,13)

Los Santos emparajedos por exigencias de devoción o patronazgo, son una prolongación de las Sacras-Conversaciones, tan frecuentes en la Escuela Veneciana. En España se utilizó este tipo de composición en los altares de El Escorial, y el Greco, en este San Andrés y San Francisco, dejó una obra maestra de ese arrebato y místico dialogar de los bienaventurados por encima del tiempo, tendiendo sus manos, de vibrante delgadez, en gesto inolvidable.

———

Saints portrayed together because of devotional or patronage requirements are a continuation of the Sacred Conversations so frequent in the Venetian School. In Spain this type of composition was used on the altars of El Escorial. In this «St. Andrew and St. Francis» El Greco left a masterful portrayal of this enraptured and mystical conversation between these blessed men untouched by time, with an iconlike impassiveness, who gesture with their vibrantly delicate hands in an unforgettable manner.

———

Les Saints réunis par éxigence de dévotion ou de patronnage, sont une continuation des Dialogues-Sacrés, si fréquents dans l'Ecole de Venise. On a utilisé ce type de composition en Espagne, pour les autels de l'Escorial et, le Gréco, dans ce «Saint André et Saint François», nous a laissé un chef-d'oeuvre en ce dialogue mystique et exalté des bienheureux, au delà du temps, tendant, en un geste inoubliable, leurs mains d'une vibrante minceur.

12

Dominico Theotocopoulos, llamado EL GRECO
(1540-1614)
Cristo abrazado a la Cruz
Cat. n.° 1822 (L. 1,08 × 0,78)

El apasionado expresionismo de El Greco se vuelca en imágenes nerviosas y exaltadas como llamas. Este Cristo de bellísimas manos y rostro apasionado y extático, es absolutamente representativo del sector más «popu.ar» de su estilo por su acierto al crear una verdadera imagen de devoción, cargada de intencionalidad expresiva y piadoso arrobamiento.

———

El Greco's passionate expresionism is poured into figures which are as exalted and vigorous as shooting flames. This Christ, with extremely beautiful hands and impassioned, ecstatic expression, is absolutely representative of the most «popular» sector ot his style—«popular» in that the artist succeeds in creating a true devotional image, filled with intent expressivity and pious rapture.

———

L'expressionnisme passionné du Gréco se transmet en images nerveuses et exaltées comme des flammes. Ce Christ aux belles mains et au visage passionné et extatique, est totalment représentatif du secteur le plus populaire» de son style à cause de sa réussite à créer une authentique image de dévotion, lourde d'expression et de transport de piété.

13

Dominico Theotocopoulos, llamado EL GRECO
(1540-1614)
La adoración de los Pastores
Cat. n.° 2988   (L. 3,19 × 1,80)

Entre las grandes composiciones de altar de El Greco, ésta, pintada en 1612 para su propia sepultura, en Santo Domingo el Antiguo, de Toledo, es una de las más fascinantes por su intensidad arrebatada, su vibrante emoción en cada rostro y su preocupación luminosa, que, aprendida en la técnica natura-lista de los Bassano, se transfigura aquí en mágicas fulguraciones.

――――

Among the great compositions for the altar by El Greco is this one, painted in 1612 for his own burial place in the Church of Santo Domingo el Antiguo, in Toledo. It is one of his most fascinating works with its sweeping intensity, its vibrant emotion in each face and its preoccupation which the artist had studied in the Bassano's Naturalist workshop and which is transfigured here into magical lightning-like flashes.

Parmi les grandes compositions religieuses du Greco, celle-ci, peinte en 1612, pour son propre tombeau à Saint Dominique l'Antique de Toléde, est une des plus fascinantes par son intensité colorée, l'émotion vibrante conte-nue dans chaque visage et sa préoccupation lumineuse, qui apprise de la technique naturaliste des Bassano se transfigure ici, en fulgurations magiques.

14

Dominico Theotocopoulos, llamado EL GRECO
(1540-1614)
La Crucifixión
Cat. n.º 823   (L. 3,12 × 1,69)

Obra de los últimos años de El Greco, extrema su distorsión y patetismo. El Cristo, afilado y casi inmaterial, se destaca sobre un celaje de tonos estremecedores, como de mar en borrasca. La Dolorosa y San Juan, acompasan su verticalidad densa, como de cirios. La Magdalena arrodillada acompañada de un ángel inverosímil, recogen la simbólica sangre de la Redención.

———

A work of El Greco's final years, distortion and pathos are carried to the extreme. The figure of Christ, elongated and almost unreal, stands out against a sky of terrifying colors, like that of a storm on the high seas. The grieving Virgin Mary and St. John share the intense verticality of Christ's figure. The kneeling Mary Magdalena, accompanied by a rather unusual angel, collect the symbolic blood of the Passion.

———

Oeuvre des dernières années du Gréco, oú sa distorsion et son pathétisme sont poussés à l'extrème. Le Christ, émacié et presque immatériel, se détache sur un ciel aux tons effrayants de mer en tempéte. La Virge et Saint Jean, droits comme des cierges, la verticale de la croix. Madeleine à genoux, accompagnée d'un ange invraisemblable, recueillent ensemble le sang symbolique de la Rédemption.

15

Dominico Theotocopoulos, llamado EL GRECO
(1540-1614)
El caballero de la mano en el pecho
Cat. n.º 809   (L. 0,81 × 0,66)

«El caballero de la mano en el pecho» ha sido siempre como un arquetipo del caballero español, con un peso de irremediable y severa melancolía. Su rostro expresa con una inmediatez asombrosa y una calidad pictórica de primer orden todo el amargo desencanto y la velada tristeza que parece poseer a los espíritus contemporáneos de Don Quijote. El ignorar de qué personaje se trata añade además un peso de misterio a esta inolvidable figura.

––––

The «Nobleman with His Hand on His Chest» has always been an archetype of the Spanish cavalier, with a weighty feeling of serious and incurable melancholy. His face expresses with a surprising forthrightness and pictorial quality of the first order all the bitter disenchantment and veiled sadness of the contemporaries of Don Quixote. The ignorance of the identity of the model adds a measure of mystery to this unforgettable figure.

––––

«Le chevalier à la main sur la Poitrine» a toujours été considéré un archétype du chevalier espagnol, souffrant d'une mélancolie triste et sans remède. Il exprime avec une immédiaté étonnante et une qualité de peinture de premier ordre, toute l'amère désillusion et la tristesse voilée qui semblent posséder les esprits contemporains de Don Quichote. Le fait d'ignorer de quel personnage il s'agit ajoute encore un poids de mystère à cette figure inoubliable.

16

Francisco RIBALTA (1565-1628)
San Francisco confortado por un ángel
Cat. n.º 1062   (L. 2,04 × 1,58)

Nacido en Cataluña, educado en El Escorial y creador del naturalismo en Valencia, Francisco Ribalta es artista de primer orden en la historia de la pintura española, y en su madurez, después de conocer seguramente el mundo nuevo de Caravaggio, realiza algunas de las más bellas e interesantes imágenes de santos de todo el barroco español. Esta soberbia visión de San Francisco rebosa inmediatez realista en el santo y en el ambiente y los pormenores de la celda, e incluso la visión celeste del ángel músico está tratada con una fuerza inmediata y con una simplicidad naturalista que convierten al ángel en un mocetón recio y directo, nada celestial.

———

Born in Cataluña, educated at El Escorial and creator of a Naturalist style in Valencia, Francisco Ribalta is an artist of the first order in the history of Spanish painting and in his mature period, when he is surely acquainted with the new world of Caravaggio, he does some of the most lovely and intense saints' images of the entire Spanish Baroque style. This superb vision of St. Francis teems with an immediate realism in the saint, the atmosphere and the details of the cell. Even the celestial vision of the angelical musician is treated with an immediate forcefulness and Naturalist simplicity which converts the angel into a robust, simple youth who is not in the least «celestial».

———

Né en Catalogne, élevé à l'Escorial, créateur du naturalisme à Valence, François Ribalta est un artiste de premier ordre dans l'histoire de la peinture espagnole. Dans sa maturité, après avoir certainement connu le monde nouveau de Caravage, il réalise quelques unes des plus belles et intéressantes figures de Saints de tout notre art baroque. Cette superbe vision de Saint François déborde réalisme vivant dans le personnage du Saint, réalisme que l'on retrouve dans le décor et les petits détails de la cellule. Même la vision céleste de l'ange musicien est traîtée avec une force réaliste et un naturel si simple que l'ange devient un solide et franc gaillard quí n'a rien de céleste.

17

Fray Juan Bautista MAYNO (1581-1649)
Adoración de los Magos
Cat. n.º 886   (L. 3,15 × 1,74)

Nacido en Pastrana de padre italiano, educado en Italia y fraile dominico desde 1611, Juan Bautista Mayno es una de las figuras más atractivas del primer naturalismo español. Conocedor directo de Caravaggio, se entusiasma por los aspectos escultóricos del tenebrismo y prefiere para sus composiciones, fuertemente iluminadas, la gama clara y los colores intensos de la juventud del pintor italiano. La Adoración de los Reyes, que procede del convento toledano en el que fue monje, es una de sus obras más significativas y personales.

———

Born in Pastrana, of an Italian father, educated in Italy and a Dominican monk since 1611, Juan Bautista Mayno is one of the most attractive figures in the early Spanish Naturalism style. Directly acquainted with Caravaggio, he is enthused with the sculptural aspects of the Tenebrist style and in his harshly lit compositions he prefers the light but intense colors of the Italian artist's youthful period. The «Adoration of the Kings», which comes from the Toledan convent in which Mayno is a monk, is one of his most significant and personal works.

———

Né à Pastrana de père italien, élevé en Italie et frère dominicain en 1611, Jean Baptiste Mayno est une des figures les plus attirantes du début du naturalisme espagnol. Connaissant personnellement le Caravage, les aspects sculpturaux du ténébrisme l'enthousiasment, mais il préfère pour ses compositions fortement éclairées la gamme claire et les couleurs intenses de la jeunesse du peintre italien. L'Adoration des Rois, provenant du couvent de Tolède où il fut moine, demeure une de ses oeuvres les plus significatives et personnelles.

18

José de **RIBERA** (1591-1652)
El Martirio de San Bartolomé
Cat. n.º 1101   (L. 2,34 × 2,34)

Ribera no es sólo el pintor de ancianos atormentados y tenebrosos, pinta-
dos con luz de cueva. Dueño de una paleta de opulencia sensual a la veneciana, es capaz de transplantar a una atmósfera luminosa y riente los temas en
apariencia más sombríos. Su martirio de San Bartolomé es, en decir de Eugenio D'Ors, «casi un baile ruso», sabroso de ritmo y delicadísima riqueza en los
detalles.

———

Ribera is not just a painter of tormented Tenebrist old men painted in a
cava-like light. He possesses a palette with the sensual opulence of Venice and
is capable of bringing to the most sober of themes a luminous, smiling atmosphere. His «Martyrdom of St. Bartholomew» is, as Spanish art critic Eugenio D'Ors has said, «almost a Rusian dance» with its delightful rhythm and delicate wealth of details.

———

Ribera n'est pas seulement le peintre des vieux tourmentés et ténébreux,
peints à la lumière de grotte. Maître d'une palette d'opulente sensualité à la
manière vénitienne, il est capable de transplanter dans une atmosphère lumineuse et riante, les thèmes en apparence les plus sombres. Son Martyre de
Saint Bartholomé est, au dire d'Eugênio d'Ors, «presque un ballet russe», sa-
voureux de rythme et d'une richesse très délicate dans les détails.

19

José de RIBERA (1591-1652)
La Magdalena
Cat. n.º 1103   (L. 1,81 × 1,95)

La Magdalena, bellísima mujer a la que quizá sirvió de modelo su hija, muestra en su composición un rigor casi matemático en sus diagonales contrapuestas, y un gusto por lo monumental en los gruesos sillares escalonados en que se apoya la figura.

———

This «Mary Magdalen» —an extremely beautiful woman, perhaps modeled by the artist's daughter— displays in its composition an almost mathematical rigor in its counter-balanced diagonals and a grandiose taste in the thick-cut, stair-stepped stones on which the figure leans.

———

La Madeleine, très belle femme, pour laquelle sa fille servit peut-être de modèle, montre dans sa composition une rigueur presque mathématique dans ses diagonales opposées et un goût pour le monumental dans les grosses pierres échelonnées sur lesquelles s'appuie la figure.

20

José de RIBERA (1591-1652)
Arquímides
Cat. n.º 1121   (L. 1,25 × 0,81)

La representación de los filósofos de la Antigüedad es uno de los tópicos habituales en el mundo culto de los siglos XVI y XVII. Ribera interpreta esta evocación humanística en una dirección de absoluto y crudo realismo. Su Arquímedes es una figura de mendigo, en cuya representación no se omite ninguna crudeza.

———

The representation of the philosophers of antiquity is one of the most common clichés of the XVIth and XVIIth-century cultural world. Ribera interprets this humanist allusion in the direction of a harsh and absolute realism. His Archimedes is the figure of a Napolitan beggar in whose representation no harshness is omitted.

———

La représentation des philosophes de l'antiquité est l'un des topiques habituels du monde cultivé du XVIème et XVIIème siècle. Ribéra interpréte cette évocation humaniste avec un sens absolu et âpre du réalisme. Son Archimède est un mendiant, qu'il représente sans en omettre aucune dureté.

21

Francisco de ZURBARAN (1598-1664)
Visión de San Pedro Nolasco
Cat. n.º 1236   (L. 1,79 × 2,23)

Se considera a Zurbarán el pintor de los frailes por excelencia. La visión de San Pedro Nolasco, pintada en 1629 para la Merced de Sevilla, respira una quieta unción donde la simple realidad se hermana con la trascendencia. El claroscuro tenebrista se emplea aquí con magistral intensidad, y los volúmenes, netos y claros, se acusan con evidencia escultórica.

———

Zurbarán is considered the painter of monks «par excelence». The «Vision of St. Pedro Nolasco» painted in 1629 for the Order or Mercy in Seville emits a serene feeling in which simple reality exists side by side with transcendentalism. The Tenebrist chiaroscuro is used here with a majestic intensity and the volumes, clear and precise, stand out with a sculptural emphasis.

———

On considère Zurbarán comme le peintre par excellence des moines. La vision de Saint Pierre Nolasque peinte en 1629, pour la Merced de Séville, respire une piété tranquille où la simple réalité fraternise avec la transcendance. Le clair-obscur ténébriste s'emploie ici avec une intensité magistrale et les volumes, nets et clairs, s'accusent avec une évidence sculpturale.

Escuela española. Siglo XVII

22

Francisco de ZURBARAN (1598-1664)
Santa Casilda
Cat. n.º 1239   (L. 1,84 × 0,90)

La Santa Casilda es un buen ejemplo del modo de entender las figuras de Santas en la España del XVII. Ricamente ataviadas, formaban cortejos proce sionales en los muros de iglesias conventuales. Entre las muchas que salieron del taller del pintor extremeño, ésta es una de las de mejor calidad, por su fir me dibujo y su colorido cálido y fastuoso.

———

This «St. Casilda» is a good example of the general conception of saints' mages in XVIIIth-century Spain. These richly-adorned figures were fre quently displayed in an orderly procession around the walls of convent churches. Among the many which came out of Zurbarán's workshop, this is one of the best due to the strength of line and warm, ostentatious coloring.

———

Elle est un bon exemple de la façon dont l'Espagne du XVIIème siècle in terprète les figures des saintes. Richement vêtues, elles formaient des cor tèges processionnels sur les murs des églises conventuelles. Parmi celles, très nombreuses, qui sortirent de l'atelier du peintre d'Extrémadure, celle-ci en est une des meilleures par son dessin sûr et son coloris chaud et fastueux.

23

Francisco de ZURBARAN (1598-1664)
Bodegón
Cat. n.º 2803   (L. 0,46 × 0,84)

El interés de Zurbarán por las cosas, por los objetos cotidianos, tantas veces disperso en accesorios humildes de sus cuadros mayores, se sublima en este excepcional bodegón. Los cacharros, ordenados simplicísimamente sobre la tabla, parecen sugerir por su misterio y su casi mágica evidencia, la ordenación litúrgica de una mesa de altar, con una emoción casi religiosa que hace pensar en la ascética.

———

Zurbarán's interest in everyday objects, so often dispersed in humble details in his large canvases, reaches its zenith in this exceptional still-life. The earthenware pots, arranged in an extremely simple manner on the wooden slab, seem to suggest with their mysterious and magical presence the liturgical arrangement of an altar table, with an almost religious emotion which makes us think of the world of the ascetics.

———

L'intérêt de Zurbarán pour les choses, pour les objets quotidiens, tant de fois dispersé en accessoires humbles dans ses grands tableaux, se sublime dans cette nature-morte exceptionnelle. Les poteries, ordonnées très simplement sur la table semblent suggèrer par leur mystère et leur évidence presque magique, l'ordonnance liturgique d'une table d'autel, avec une émotion quasi religieuse, qui suggére l'ascétisme.

24

Diego de Silva VELAZQUEZ (1599-1660)
La Adoración de los Reyes Magos
Cat. n.º 1166   (L. 2,03 × 1,25)

La Adoración de los Reyes Magos, fechada en 1619, es quizás la pieza más juvenil de Velázquez que conserva el Museo. Obra de su período sevillano, traduce muy bien las inquietu les tenebristas y el realismo prieto y casi escul-tórico de sus primeros años. La gama de color, de tonos pardos, y el sombrío paisaje, muestran recuerdos de Bassano. La cabeza de la Virgen es quizás re-trato de su esposa, y el tratamiento de los demás rostros traduce también re-tratos.

———

«The Adoration of the Kings», dated 1619, in perhaps the earliest of Veláz-quez's works in the Prado Museum. A work from his Sevillian period, it por-trays very well the Tenebrist tendencies and the dense, almost sculpturas rea-lism of his early years. The range of colors, in dark tones, and the somber background bring Bassano to mind. The head of the Virgin is possibly a por-trait of the artist's wife, and the treatment of the other faces seems to indicate that they are portraits also.

———

«L'Adoration des Rois», datée en 1619, est peut être, la première oeuvre de jeunesse de Vélazquez, que conserve le Musée du Prado. Oeuvre de son époque sévillanne, elle traduit fort bien les inquiétudes ténébristes et le réalisme se-rré, presque sculptural de ses débuts. La gamme de couleur, de tons obscurs, et le paysage sombre, indiquent des réminiscences de Bassano. La tête de la Vierge est peu être de portrait de sa femme, et la façon dont sont traités les autres visages indique qu'il s'agit également de portraits.

25
Diego de Silva VELAZQUEZ (1599-1660)
Cristo Crucificado
Cat. N.º 1167   (L. 2,48 × 1,69)

El Cristo es una de las más populares obras velazqueñas y de las de más feliz inspiración. Pintada hacia 1632, es de los pocos cuadros religiosos de su
etapa cortesana. Responde a un encargo expreso del Rey para el convento de
San Plácido y se ha relacionado con una bella leyenda amorosa. El cuerpo,
de modelado suave, blando y suelto, pende de cuatro clavos, con sereno aban-
'dono.

———

This Christ is one of Velázquez's most popular works and one of the most
fortunately inspired ones. Done around 1632, it is one of the few religious
paintings from his time in the Court. It corresponds to an express commission from the King and was done for the San Plácido Convent. The picture
has been connected with a beautiful amorous legend. The body —of a gentle,
free, soft modeling— is suspended from the four nails wiht a serene aban-
donment.

———

Le Christ est une des oeuvres les plus populaires de Vélazquez, et dont l'inspiration est la plus heureuse. Peinte vers 1623, elle est un des rares tableaux
religieux de son étape courtisane. Elle répond à une commande expresse faite par le Roi, pour le couvent de Saint Placide, et on l'a rattachée à une belle
légende amoureuse. Le corps, au modelé léger, doux et souple, pend aux
quatre clous avec un abandon serein.

26

Diego de Silva VELAZQUEZ (1599-1660)
«Los Borrachos» «El Triunfo de Baco»
Cat. n.º 1170   (L. 1,65 × 2,25)

Los Borrachos, o el Triunfo de Baco, pintado en 1629, el año siguiente al viaje de Rubens a Madrid, es la primera composición mitológica de Velázquez y quizás responda a sugestión del gran flamenco. Pero el tema clásico está interpretado de modo muy personal, casi como cuadro de género, totalmente realista. Baco es un mocetón sólido, de labios sensuales, y los acompañantes son pícaros o soldados de los tercios, nada mitológicos en su inmediata realidad

————

«The Drunkards», or «The Triumph of Bacchus», painted in 1629, the year after Rubens' visit to Madrid, is the first of Velázquez mythological compositions and possibly corresponds to a suggestion by the great Flemish painter. But the Classical theme is interpreted in a very personal manner, almost as a genre painting, in a totally realistic way. Bacchus is a solid youth with sensual lips and his companions are either rogues or infantry soldiers, not at all mythological in their immediate reality.

————

«Les Ivrognes», ou «Le Triomphe de Bacchus», peint en 1629, un an après le voyage à Madrid de Rubens, est la premiére composition mythologique de Vélazquez et lui a sans doute été suggérée par le grand peintre flamand. Mais le thème classique y est interprèté d'une façon très personnelle, presque à la manière d'un tableau de genre, entièrement réaliste. Bacchus est un solide gaillard, aux lèvres sensuelles, et ses compagnons sont des coquins ou des soldats d'infanterie qui n'ont rien de mythologique dans leur réalisme tangible.

27

Diego de Silva VELAZQUEZ (1599-1660)
«Las Lanzas» «La Rendición de Breda»
Cat. n.º 1172   (L. 3,07 × 3,67)

Pintada en 1634, para el Salón de Reinos del Buen Retiro, Velázquez logra en la Rendición de Breda, una de sus obras de mayor belleza y serenidad clásica, desde el luminoso paisaje del fondo al contraponerse de los gestos de los protagonistas, vencedor y vencido, iguales en elegante armonía. Velázquez conocía muy bien el rostro de Ambrosio de Spínola, el general vencedor, pues había realizado con él su primer viaje a Italia.

———

Painted in 1634 for the Monarch's Salon of the Buen Retiro Palace, Velázquez attains in his «Surrender of Breda» one of his most beautiful and classically serene works —from the luminous landscape in the background to the contrast of the gestures of the protagonists: victor and vanquished, equal in their elegant harmony. Velázquez knew the face of Ambrosio Spínola, the victorious general, very well because it was with him that he made his first trip to Italy.

———

Peintes en 1634, pour le Salon des Royaumes du Bon Retiro, Vélazquez réussit dans la Reddition de Breda, une de ses oeuvres de plus grande beauté, et d'une sérénité classique, depuis le paysage lumineux du fond, en opposant les gestes des protagonistes, vainqueur et vaincu, égaux en élégante harmonie. Vélazquez connaissait très bien le visage d'Ambrosio Spinola, le général vainqueur, du fait qu'il avait réalisé son premier voyage en Italie avec lui.

28

Diego de Silva VELAZQUEZ (1599-1660)
El Príncipe Baltasar Carlos a caballo
Cat. n.º 1180   (L. 2,09 × 1,73)

El retrato de Baltasar Carlos sobre su jaca en corveta, recortándose sobre el fondo azulado y con nieve del picacho de la Maliciosa, es una de las figuras más simpáticas de toda la galería de personajes velazqueños. El aspecto, un tanto ingrato, del animal algo rígido y desproporcionado, se corrige teniendo en cuenta que se pintó, en 1635, para una sobrepuerta del Buen Retiro; hecho, pues, para ser visto desde abajo.

————

The portrait of Baltasar Carlos on his bounding mount, silhouetted against the bluish background and snow-capped peak of La Maliciosa, is one of the most pleasing figures in the entire gallery of Velázquez's personages. The rather disagreable aspect of the pony, somewhat stiff and out of proportion, is explained by the fact that the piece was painted, in 1635, to be hung above a doorway in the Buen Retiro Palace, and was done, therefore, keeping in mind that it would be viewed from below.

————

Le portrait de Baltasar Carlos, sur sa jument cabrée, se découpant sur un fond bleuté et enneigé du Pic de la Maliciosa, est une des figures les plus symphatiques de toute la galerie de personnages de Vélazquez. L'aspect, un peu ingrat del'animal, légèrement rigide et mal proportionné se corrige, si l'on tient compte du fait qu'il a été peint en 1635, pour un dessus de porte du Bon Retiro: il a été donc fait pour être vu d'en bas.

29

Diego de Silva VELAZQUEZ (1599-1660)
«Las Hilanderas» o «La Fábula de Aragné»
Cat. n.º 1173   (L. 2,20 × 2,89)

Obra de sus últimos años, Las Hilanderas, han sido interpretadas durante mucho tiempo como cuadro de género, cosa inconcebible en su época para cuadro de tales dimensiones. Hoy sabemos que se trata de un tema mitológico de la Contienda de Palas y Aragné, sobre sus habilidades en el telar. Velázquez ha eludido toda grandilocuencia y ha magnificado las alusiones a lo cotidiano que el mito contiene. La técnica se ha hecho prodigiosamente suelta y la seguridad de Velázquez para captar lo transitorio tiene aquí, quizás, su relación más perfecta.

————

A work from his final years, «Las Hilanderas» («The Spinners») was interpreted for a long time as a genre painting, a hard to believe fact for such a large canvas in the Spain of Velázquez's time. Today we know that it has the mythological theme of the weaving contest between Pallas and Arachne. Velázquez has avoided any overly ostentatious eloquence and has concentrated on the more everyday allusions contained in the myth. The technique has become magnificently free-wheeling and Velázquez's confident skill in capturing the transitory moment is shown here in what is perhaps its most perfect realization.

————

Oeuvre de ses dernières années, les Fileuses, ont été interprêtées pendant longtemps comme un tableau de genre, chose impensable à l'époque, pour une peinture de telles dimensions. Aujourd' hui, nous savons qui'il s'agit d'un thème mythologique de la lutte de Pallas et Arachné, sur leurs habilités à tisser. Vélázquez a élude toute grandiloquence et a loué les allusions au quotidien que le mythe contient. La technique est devenue prodigieusement libre, et la sécurité de Velázquez pour capter le transitoire a, peut-être trouvé ici, sa réalisátion la plus parfaite.

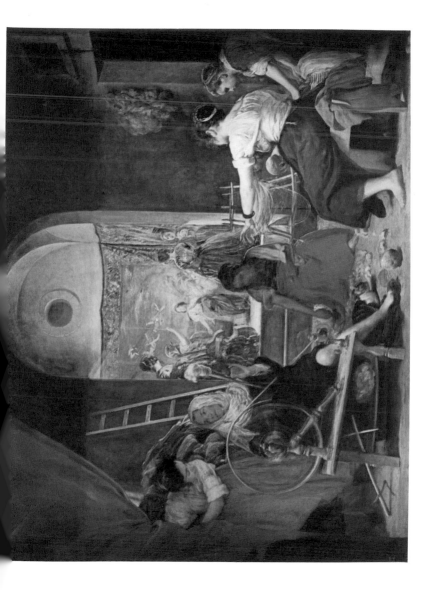

30

Diego de Silva VELAZQUEZ (1599-1660)
«Las Meninas» o «La familia de Felipe IV»
Cat. n.º 1174   (L. 3,18 × 2,76)

Las Meninas, pintado en 1656, es algo más que un conjunto de retratos. La «Teología de la Pintura», se llamó alguna vez. Y en ninguna ocasión como aquí se ha conseguido un fragmento de pura pintura, de captación del aire, de las relaciones espaciales de las cosas en una atmósfera viva y en un espacio concreto y mensurable: un salón del viejo Alcázar con altos muros blancos cubiertos de cuadros enmarcados de negro.

———

«Las Meninas» («The Maids of Honor»), painted in 1656, is something more than just a group portrait. It has been referred to at one time as the «Theology of Painting». Never as in this work has there been such an attainment of «pure» painting, with a portrayal of the air and the spatial relationship between the objects in a live atmosphere and a concrete, finite space: a salon of the old Alcázar, with high, white walls covered with blackframed paintings.

———

Les Ménines, peintes en 1656, sont plus qu'un ensemble de portraits. On les a appelées parfois la «Théologie de la peinture». Jamais encore, on n'avait réalisé un fragment de peinture aussi pure, de captation d'air, de relation des choses dans l'espace dans une atmosphère vivante et des dimensions concrètes et mesurables: un salon du vieil Alcazar, avec de hauts murs blancs, couverts de tableaux encadrés de noir.

31

Diego de Silva VELAZQUEZ (1599-1660)
«El niño de Vallecas» D. Francisco Lezcano
Cat. n.º 1204   (L. 1,07 × 0,83)

De la serie de retratos de bufones u hombres de placer, uno de los más emocionantes es el Niño de Vallecas. La postura elegida por el pintor atenúa lo corto de las piernas; un esfumado melancólico envuelve todo el cuadro de bellísima entonación de grises violáceos.

———

Among the series of portraits of buffoons or jesters, one of the most moving is the portrait of the «Boy from Vallecas». The posture chosen by the painter diminishes the shortness of the legs and a wistful melancholy pervades the entire picture with its beautiful grey-violet tones.

———

De la série portraits de bouffons, ou hommes de plaisir, un des plus émouvants est celui de l'Enfant de Vallecas. La position choisie par le peintre atténue la petitesse des jambes. Une mélancolie estompée, enveloppe tout le tableau de très beaux tons gris violacés.

32

Diego de Silva VELAZQUEZ (1599-1660)
La Infanta Doña Margarita de Austria
Cat. n.º 1192   (L. 2,12 × 1,47)

Este retrato de la Infanta Margarita es, con seguridad, el último cuadro de Veláquez, dejado incluso sin concluir. La armonía del color y la técnica de toques ligeros, casi impalpables, lleva a su último extremo el proceso de desmaterialización de su pintura, hecha aquí ya pura espuma de aire y de luz.

———

This portrait of the Infanta Margarita is surely Velázquez's last painting, and it has actually been left unfinished. The harmony of the ligh, colors and the technique of the almost imperceptible touches of the brush bring the process of dematerialization in his style to its peak. Here his painting has become a fine mist of air and light.

———

Ce portrait de l'Infante Marguerite est très certainement le dernier tableau de Vélazquez, resté même inachevé. L'harmonie de la couleur et la technique des touches légères presque impalpables arrivent à l'extreme limite du processus de dématérialisation de sa peinture, qui est déjà devenue ici poussière impalpable d'air et de lumière.

33

Alonso CANO (1601-1667)
La Virgen y el Niño
Cat. n.º 627   (L. 1,62 × 1,07)

Artista múltiple, arquitecto, escultor y pintor, el granadino Alonso Cano es la figura de más movida biografía de todo el barroco español y, paradójicamente, el de arte más sereno, sobrio y estilizado en una dirección casi clásica dentro del absoluto realismo de su tiempo. Amigo de Velázquez desde la infancia, algo de la técnica de éste se refleja en la suya propia. Así esta Virgen con el Niño de serena delicadeza, a cuyo lado las de Murillo parecen quizás artificiosas.

———

A multiple artist —architect, sculptor and painter— the Granadan Alonso Cano is the figure with the most tempestuous biography in the entire Spanish Baroque period, but paradoxically his art is the most serene, sober and stylized, in an almost Classical direction, within the absolute realism of his time. A friend of Velázquez's from his childhood, something of the latter technique is visible in his own work. This is true with this «Virgin with Child», of a serene delicacy, alongside of which the ones by Murillo seem overly contrived.

———

Artiste multiple, à la fois architecte, sculpteur et peintre, Alonso Cano, de Grenade, est le personnage dont la biographie est la plus agitée de tout l'art baroque espagnol; paradoxalement, il est en même temps, celui dont l'art est le plus serein, sobre et stylisé dans un sens presque classique au milieu du rigoureux réalisme de son temps. Ami dès l'enfance de Vélazquez, quelque chose de la technique du maître transparaît dans la sienne. Ainsi, cette Vierge à l'Enfant, d'une sereine douceur, à côté de laquelle celles de Murillo peuvent sembler artificielles.

34

Bartolomé Esteban MURILLO (1618-1682)
La Sagrada Familia del pajarito
Cat. n.º 960   (L. 1,44 × 1,88)

Se nos muestra aquí Murillo, al comienzo de su primer estilo pleno, fuertemente influido por Ribera, del que pudo conocer abundantes obras en Sevilla. Aparece, también, una constante en la obra del maestro: la interpretación
naturalista, cotidiana y familiar de los temas religiosos en correspondencia
con la nueva religiosidad de la Contrarreforma. En ningún cuadro como en
éste, se nos insinúa Murillo, padre de una numerosa prole, hogareño, humil-
de y tierno.

———

Here we see Murillo at the beginning of his first integral style, strongly influenced by Ribera, with whom he was well acquainted through many works
of his in Seville. There also appears in this work a constant motif of the master's style: the Naturalistic, homely interpretation of religious themes in respon-
se to the new view of religion during the Counter-Reformation. In no picture
as in this one may we divine such a personal touch of the home-loving, humble and tender Murillo, father of a large family.

———

Murillo nous est montré ici, au commencement de son premier style, fortement influencé par Ribera, dont il put connaître d'abondantes oeuvres, à Séville. Il y a aussi une constante dans l'oeuvre du maître: l'interprétation naturaliste, quotidienne et familière des thèmes religieux qui correspond au nouveau sens religieux de la Contre-Réforme. Dans ce tableau, plus que dans
aucun autre, Murillo nous apparaît comme un père de famille nombreuse,
homme d'intérieur, humble et tendre.

35

Bartolomé Esteban MURILLO (1618-1682)
Los Niños de la Concha
Cat. n.º 964   (L. 1,04 × 1,24)

Hacia 1670, fecha en torno a la cual podemos situar este cuadro, comienza la época más feliz y productiva de Murillo. Su pincelada se hace suelta, el modelado se suaviza, el color se aclara y se enfría, ganando en elegancia. Un gozo contenido de las formas y los colores parece recorrer el lienzo. El claroscuro ya no es un problema sin resolver, sino un elemento del lenguaje dominado ya, al servicio expresivo de la sensibilidad del artista. Como en «El Buen Pastor», Murillo se nos muestra aquí maestro en la humanización del tema religioso.

————

About 1670, the year around which this painting may be dated, Murillo begins his most fortunate and productive period. His brush work is liberated, the modeling is softened, the color becomes lighter and cooler, gaining in elegance. A restrained delight in form and color seems to run through the canvas. The chiaroscuro is no longer an unsolved problem, but instead a means of expression which has been mastered and is now a tool at the service of the artist's sensitivity. Here, as in «The Good Shepherd», Murillo shows us a mastery of the humanization of the religious theme.

————

C'est vers 1670, date à laquelle nous pouvons situer ce tableau qu'a commencé l'époque la plus heureuse et productive de Murillo. Son coup de pinceau se libère, la modelage s'adoucit, la couleur s'éclaircit en se refroidissant, gagnant en élégance. Une joie contenue dans les formes et les couleurs, semble parcourir la toile. Le clair-obscur n'est déjà plus un problème à résoudre, mais un élément de langage acquis, au service expressif de la sensibilité de l'artiste. Comme dans «le Bon Pasteur», Murillo est passé maître dans la manière d'humaniser le thème religieux.

36

Bartolomé Esteban MURILLO (1618-1682)
La Concepción del Escorial
Cat. n.º 972   (L. 2,06 × 1,44)

Esta Inmaculada, mal llamada «de San Ildefonso», por creerla procedente del palacio de la Granja de San Ildefonso (donde en realidad nunca estuvo) es para muchos el mejor ejemplar de las existentes en el Prado. Su composición es más suelta, menos enfática y su color menos acaramelado. Murillo capta con singular maestría el encanto humano de la Virgen joven. Y se apoya simplemente sobre lo terreno. Como dijo D'Ors: «Quiere ser un himno y sale un piropo».

————

This «Immaculate Conception», wrongly called «of San Ildefonso», since it was believed to proceed from the La Gran Palace in de San Ildefonso (where it never really was), is according to many the best version of those that exist in the Prado. Its composition is freer, less complicated, and its colors are not so sickenly sweet. Murillo captures with a singular mastery the enchantingly human element of the young Virgin, which is plainly based on a terrestrial concept. As critic Eugenio D'Ors has said: «He set out to compose a hymn, but he ended up with a gallant serenade».

————

Cette Immaculée, appelée érronément «de Saint Ildefonse», parce qu'on croyait qu'elle venait du Palais de la Granja de Saint Ildefonse (où en réalité elle ne fut jamais) est pour beaucoup le meilleur exemplaire de celles qui existent au Prado. Sa composition est plus libre, moins emphatique, sa couleur moins douce. Murillo a su capter avec une singulière maîtrise l'enchantement humain de la Vierge jeune; il s'appuie simplement sur le terre à terre. Comme a dit D'Ors: «Il voulut faire un hymme, et il lui est sorti un compliment».

37

Bartolomé Esteban MURILLO (1618-1682)
Aparición de la Virgen a San Bernardo
Cat. n.º 978   (L. 3,11 × 2,49)

El naturalismo, acompañado de la ausencia de sensibilidad para lo sublime, en Murillo hacen que no acierte a representar ese instante cargado de tensión que se produce cuando se junta lo celeste con lo terreno. Esa catarata de cielo que se precipita hacia San Bernardo se frena en un problema técnico bien resuelto: las siluetas oscuras sobre fondo claro, sobre el que destaca hermosísima la humana figura de la Virgen. Los ojos, huérfanos de lo sobrenatural se pasean gozosos por los objetos: la mesa, los libros, el báculo.

———

A Naturalist style plus a lack of sensitivity for the sublime cause Murillo to fail in representing this emotion-charged moment in which the heavenly and earthly worlds meet. This tumultuous heavenly scene which streams down toward St. Bernard is restrained in a well-solved technical problem: the dark silhouettes against a light background, against which the extremely lovely and human figure of the Virgin stands out. Our eyes, straying from the supernatural element, rove with great pleasure over the various objects portrayed: the table, books and staff.

———

Le naturalisme, accompagné de l'absence de sensibilité pour le sublime, de Murillo font qu'il ne réussit pas à représenter cet instant chargé de tension, qui se produit, quand se rejoignent le céleste et l'humain. Cette cataracte de ciel qui se précipite vers Saint Bernard, se freine sur un problème technique bien résolu: les silhouettes obscures sur fond clair, sur lequel se détache le très beau visage humain de la Vierge. Les yeux, manquant de surnaturel, se promènent heureux sur les objets: la table, les livres, la crosse.

38

Bartolomé Esteban MURILLO (1618-1682)
El sueño del patricio Juan y de su esposa
Cat. n.º 994   (L. 2,32 × 5,22)

El sueño del patricio

Pintada para la iglesia sevillana de Santa María la Blanca, es una de las obras maestras del pintor. Relata la aparición de la Virgen al patricio romano Juan, pidiéndole la construcción de una iglesia —Santa María Maggiore, de Roma— en el monte Esquilino. La captación de la realidad cotidiana —el cestillo, el perrito dormido, los paños, la actitud abandonada de los cuerpos— alcanza aquí una de las cumbres de la pintura española. Las enjutas con la planta y fachada de la iglesia romana, son obra neoclásica, agregada en París bajo la dirección del arquitecto Perner.

———

Painted for the Sevillian church of Santa Maria la Blanca, this is one of the painter's masterpieces. It shows the appearance of the Virgin to the Roman Patriarch John, asking him to build a church—Santa Maria Maggiore, in the Roman Esquiline Hill. Here the capturing of everyday reality —the basket, the sleeping puppy, the laundry, the natural posture of the figures- – reaches one of its peaks in Spanish painting. The spandrels, with the foundation and façade of the Roman church, are Neoclassical work added in Paris under the direction of the architect Perner.

———

Peinte pour l'église sevillanne de Sainte Marie la Blanche, c'est un des chefs d'oeuvre du peintre. Il raconte l'apparition de la Vierge au patricien romain Jean, lui demoandant de construire une église —Sainte Marie Majeure, de Rome— sur le mont Esquilin. La captation de la réalité quotidienne, le petit panier, le petit chien endormi, les étoffes, l'abandon des corps—atteint ici un des sommets de la peinture Espagnole. Les écoinçons, ainsi que le plan et la façade de l'eglise romane, sont une oeuvre néoclassique, ajoutées à Paris sous la direction de l'architecte Perner.

39

Juan CARREÑO de Miranda (1614-1685)
El Duque de Pastrana
Cat. n.º 650   (L. 2,17 × 1,55)

Juan Carreño de Miranda, de familia de hidalgos asturianos, es, en el mundo cortesano madrileño, el verdadero heredero de Velázquez como retratista palaciego. Muchas de las virtudes del gran maestro sevillano, su profundidad sicológica, su austera dignidad y su severa y armoniosa gama de color, pasan de algún modo a Carreño, que nos ha dejado la imagen fiel y amarga de la corte de Carlos II y doña Mariana, enlutada y grave. En los cuadros de altar, sin embargo, y cuando la persona retratada lo permitía, se muestra como hijo de su tiempo, rico y barroco, buen conocedor del arte veneciano y flamenco.

Juan Carreño de Miranda, from a noble Asturian family, is the true heir to Velázquez as the Palace portrait artist in the Madrilenian courtly world. Many of the virtues of the great Sevillian master, his profound psychology. His auster dignity, his severe and harmonious range of colors, are in a certain manner passed along to Carreño, who has left us a faithful and bitter vision of the Court of Charles II and Doña Mariana, serious and dressed in mourning. Nevertheless, in his altar paintings and when the person portrayed allowed it, he shows himself as a product of the times, richly Baroque and well-acquainted with Flemish and Venetian art.

Juan Carreño de Miranda, d'une noble famille des Asturies est, pour le monde courtisan madrilène, le véritable héritier de Velazquez comme portraitiste de cour. Beaucoup des vertus du grand maître de Séville, sa pénétration psychologique, sa dignité austère, sa palette sévère et harmonieuse, passent en quelque sorte à Carreño qui nous a laissé une image fidèle et amère de la cour de Charles II et de Doña Mariana grave et endeuillée. Cependant, pour ses tableaux d'autel et pour ceux où le modèle le permet, il se montre fils de son temps, riche et baroque, bon connaisseur de l'art flamand et vénitien.

40

Claudio COELLO (1642-1693)
El triunfo de San Agustín
Cat. n.º 664   (2,71 × 2,03)

Claudio Coello, última figura de nuestro Siglo de Oro, representa la apo-
teosis del barroco monumental y decorativo, aunque su contacto con la tradición le impida disolver por completo las formas y le mantenga vinculado, sobre todo en los retratos, al severo realismo de la primera mitad del siglo. Su
San Agustín, firmado en 1664, es característico del sector más dinámico, monumental y colorista de su arte. Concebido para cuadro de altar, es preciso
imaginarle el acompañamiento dorado y llameante de las columnas que lo
flanquearon.

———

The last great figure of the Spanish Golden Age, Claudio Coello, represents
the apotheosis of the monumental and decorative Baroque style, although his
contact with traditional methods keeps him from completely dissolving the
forms and especially in portraits, cause him to adhere to a severe realism. His
St. Agustine, painted in 1664, is of a notable dynamism and rich coloring.
Conceived for an impressive altar, it is necessary to imagine it accompanied
by the tall, golden columns which framed it.

———

Claudio Coello, dernière figure de notre Siècle d'Or, se trouve au sommet
du baroque monumental et décoratif, bien que ses attaches avec la tradition
l'empêchent d'assouplir complètement les formes et le maintiennent lié, surtout dans ses portraits, au réalisme sévère de la première moitié du siècle.
Son Saint Augustin signé en 1664, est typique de la veine la plus vivante, la
plus monumentale, la plus colorée de son art. Conçu pour être un tableau
d'autel, il faut l'imaginer flanqué des colonnes dorées et flamboyantes qui
l'accompagnaient.

41

Luis Egidio MELENDEZ (1716-1780)
Bodegón
Cat. n.º 936   (L. 0,36 × 0,49)

Heredero de toda la tradición española e italiana de la pintura de bodegón tan cultivada en el siglo XVII, Luis Egidio Meléndez, nacido en Nápoles y venido muy joven a España, representa uno de los puntos más altos de toda la historia de la pintura de naturaleza muerta. Su sobriedad en la composición y su objetivo realismo, implacable en el pormenor, enlazan directamente con la tradición de Sánchez Cotán o Zurbarán y le aproxima a ciertos sectores del gusto contemporáneo que buscan en el objeto interpretado en toda su minucia un mágico trampolín al sueño y la imaginación.

———

Heir to the long Spanish and Italian tradition of still lifes in the Baroque era, Luis Meléndez, born in Naples and settled at a young age in Spain, represents one of the highpoints of the entire history of still life painting. His sobriety of composition and impeccable, almost magical, realism can early be traced to the tradition of Sánchez Cotán and Zurbarán and they brought him close to contemporary taste, which, in objects seen in their most minute detail, searched for stimulus into an idealistic dream world.

———

Héritier de toute la tradition espagnole et italienne des peintres de natures mortes, tellement prisées au XVIIème siècle, Luis Egidio Meléndez, né à Naples et venu très jeune en Espagne, représente un des sommets de cette Ecole. Sa composition sobre, son réalisme objectif, sa poursuite du détail le relient directement à la tradition de Sanchez Cotan ou de Zurbaran, et le rapprochent de certains courants du goût contemporain, qui recherchent, dans l'objet représenté dans toute sa minutie, un tremplin magique au rêve et à l'imagination.

42

Luis PARET y ALCAZAR (1746-1798)
Carlos III comiendo ante su corte
Cat. n.º 2422   (T. 0,50 × 0,64)

Luis Paret es sin duda el más interesante de los pintores españoles del siglo XVIII, aparte Goya. De origen francés y educado en parte en la tierra de su padre, representa el más refinado rococó, exquisitamente frágil, elegante y dotado, además, de un punto de juguetona ironía y exquisito humor. La escena de la Comida de Carlos III, en el suntuoso escenario palaciego, centelleante de brillos de oros y de sedas, es una de sus obras más significativas que nos transmite algo del ceremonioso vivir palaciego, a través de estos diminutos personajes, de vibrante verdad, vistos con la graciosa y musical entonación de un Mozart. ´

———

Louis Paret is probably the most interesting painter from the 18th century, apart from Goya. From France, and educated in his father's country, he is quite representative of the most refined Rococo of a delicate fragility and elegance, with an exquisite sense of humour. The scene of Charles III lunch, in the sumptuous set of the palace, shimmezing with gold and silks, is one of his most significative works. Looking at it, we can know something of the ceremonious life in the Court, through all these small personages, extraordinarily genuine, with the gracious musical tone of a Mozart.

———

Luis Paret est sans doute le peintre espagnol le plus intéressant du XVIIIe siècle, Goya mis à part. D'origine française et élévé en partie dans la patrie de son père, il représente le rococo le plus raffiné, délicatement fragile, élégant et pourvu, de plus, d'un grain d'amusante ironie et d'un humour exquis. La scène du déjeuner de Carlos III, dans le somptueux décor du palais, étincelante d'éclats d'ors et de soies, est une de ses oeuvres les plus significatives qui nous fait connaître un peu de la vie cétémonieuse de la cour, à travers ces tout petits personnages, vibrants de verité, vus avec l'intonation gracieuse et musicale d'un Mozart.

43

Francisco de GOYA y Lucientes (1746-1828)
Autorretrato
Cat. n.° 723   (L. 0,46 × 0,35)

Este autorretrato, que seguramente se pintaría hacia 1815 como el de la Academia de San Fernando, nos muestra a Goya con más de 65 años, pero rebosante de aquella vitalidad tensa y profunda, que le sostuvo por encima de enfermedades y adversidades. Como pura pintura, la energía del toque y lo sobrio de su tonalidad, hacen de él obra de notable intensidad expresiva.

———

This self portrait, which surely must have been painted around 1815, like the one for the San Fernando Academy, presents us with a Goya over 65 years old, but brimming over with a profound, vibrant vitality, which helped him to overcome both sickness and adversity. In the purely artistic sense, the energetic brush stroke and the sober colors make it a work of notable expressive intensity.

———

Cet auto portrait, qui très certainement fut peint vers 1815, ainsi que celui de l'Académie de Saint Ferdinand, nous montre Goya à plus de 65 ans, mais plein de cette âpre et profonde vitalité qui l'a soutenu dans ses maladies et les adversités. En tant que peinture, l'énergie du coup de pinceau, et la sobriété de ton, en font une oeuvre d'une intensité expressive remarquable.

77. T

44

Francisco de GOYA y Lucientes (1746-1828)
El Quitasol
Cat. n.º 773   (L. 1,04 × 1,52)

Pintado en 1777, y por tanto obra relativamente juvenil, es obra de un singular encanto rococó que recuerda ciertas composiciones anteriores que se
han atribuido a Lorenzo Tiépolo. Tiepolesca es, también, la gama de color
claro de finísimas tonalidades.

———

Painted in 1777 and therefore a relatively youthful work, this piece possesses a singular Rococo enchantment which recalls certain earlier composition
which have been attributed to Lorenzo Tièpolo. Also Tiepolesque is the pale
range of colors in extremely delicate tones.

———

Peinte en 1777, donc lorsqu'il était relativement jeune, c'est une oeuvre d'é-
trange charme rococo qui rappelle certaines compositions antérieures qu'on
a attribuées à Lorenzo Tiépolo. La gamme de couleur claire, aux tonalités
très fines, est également tiépolesque.

45

Francisco de GOYA y Lucientes
El Cacharrero
Cat. n.º 780   (L. 2,59 × 2,20)

De 1779. Composición compleja, muy rica en términos, mucho más pictórica que decorativa, cuyo refinamiento y delicadeza de ciertos fragmentos ha hecho pensar en Watteau.

The Pottery Vender
Done in 1779, the complex composition —very rich, more in pictorial than decorative terms— possesses a delicacy and refinement which makes one think of Watteau.

————

Daté en 1779. Composition complexe, très riche en détails d'ambiance bien plus picturale que décorative, dont le raffinement et la finesse de certains fragments, font penser à Watteau.

46

Francisco de GOYA y Lucientes (1746-1828)
La familia de Carlos IV
Cat. n.º 726   (L. 2,80 × 3,36)

La familia de Carlos IV, retrato colectivo pintado bajo la sujestión de Las Meninas, pero con diferente preocupación artística, muestra una galería de personajes reales que nos dan —más implacable Goya que Velázquez— el juicio del pintor sobre sus modelos. La tosca bondad boba del rey, la sensualidad vulgarísima de María Luisa y la simpatía adolescente del Infante D. Antonio, son inolvidables.

———

The «Family of Charles IV», a collective portrait painted under the influence of «Las Meninas» but with a different artistic intent, displays a gallery of royal personages which gives us the painter's judgement of his sujects — which is more implacable in Goya's than in Velázquez's case. The uncouth and stupid kindness of the King, the extremely vulgar sensuality of Queen María Luisa and the adolescent congeniality of the Infante don Antonio are unforgettable.

———

La Famille de Charles IV, portrait collectif, suggéré par celui des Ménines, mais avec une préoccupation artistique différente, montre une galerie de personnages royaux qui nous offrent le jugement du peintre sur ses modèles, —Goya étant plus implacable que Vélazquez—. La bonté niaise et sans distinction du roi, la sensualité d'une basse vulgarité de Marie-Louise, et la sympathie adolescente de l'Infant Don Antonio, sont inoubliables.

47

Francisco de GOYA y Lucientes (1746-1828)
La Maja desnuda
Cat. n.º 742   (L. 0,97 × 1,90)

Famosas por la leyenda que ha hecho ver en ellas a la Duquesa de Alba (sin que por ahora pueda aceptarse), Las Majas son de lo más famoso de la obra de Goya. La Desnuda, es un delicado estudio de tonos nacarados, bellísimo como pintura, terminado y pulido el desnudo como una porcelana. Quizás sea lo menos «goyesco» de su obra, por su enorme peso de academia.

———

The «Maja» portraits are among the best-known and most popular of Goya's work, and they were made even more famous by the legend connecting them with the Duchess of Alba (which cannot for now be accepted as truth). The «Naked Maja» is a delicate study in mother-of-pearl tones, a beautiful piece of painting in which the naked form is refined and polished like a piece of porcelain. This is perhaps the least typical of Goya's works, due to the enormous stress on academic style.

———

Célebres à cause de la légende qui a fait voir en elles la Duchesse d'Albe (sans que jusqu'à présent, on puisse l'accepter), les Majas sont l'oeuvre la plus célebre de Goya. Celle qui est nue, est une étude délicate de tons nacrés, très belle en tant que peinture, le nu étant achevé et poli comme une porcelaine. C'est, peut-être, la moins «goyesque» de ses oeuvres, à cause de son pesant académisme.

48

Francisco de GOYA y Lucientes (1746-1828)
El tres de Mayo de 1808 en Madrid: los fusilamientos en la montaña del Príncipe Pío
Cat. n.° 749   (L. 2,66 × 3,45)

De los grandes cuadros de historia, pocos habrá tan profundamente drámaticos como los Fusilamientos. Pintado en 1814 por encargo real, para recordar los hechos de la invasión francesa, Goya ha conseguido en él algo más que el recordatorio de un hecho concreto. En el lienzo se expresa con toda su violencia, la crueldad inexorable del hombre y su exasperado y rebelde deseo de libertad.

————

In the entire history of painting there are few canvases as profoundly and essentially dramatic as this one of The Executions. Painted, as the previous one, by royal commission in 1814, to recall the episodes of the French Invasion, Goya has achieved in it something more than a real and concrete fact. He expresses in this canvas, in all its violence, the inexorable cruelty of man and his frustrated and rebellious desire for liberty.

————

Parmi les grands tableaux d'histoire, il y en aura peu d'aussi dramatiques que «Les Fusillés». Peint en 1814, sur commande royale, pour rappeler les faits de l'invasion française, Goya a réussi à exprimer plus que le souvenir d'un fait concret. Sur cette toile, il montre avec toute la violence dont il est capable, la cruauté inéxorable de l'homme et son désir exaspéré et farouche de liberté.

49

Francisco de GOYA y Lucientes (1746-1828)
Aquelarre (escena sabática)
Cat. n.° 761   (L. 1,40 × 4,38)

Las pinturas de la Quinta del Sordo, casa que Goya pensó sería su definitivo retiro, son obras de vejez, cargadas de pesimismo dramático y sombría entonación. En ellas un mundo de seres monstruosos, deformes o sin sentido,
hormiguean, se golpean o se encenagan. «El aquelarre» (la Adoración del Ma-
cho Cabrío) es un símbolo de la ciega maldad del mundo.

Dominating one of the main walls in the artist's dining room was this large
composition which expresses in a terrifying manner his vision of the world as
absolutely evil. A deformed multitude adores the evil which in the form of
a he-goat receives the homage of humanity. A single female figure which
remains almost outside the composition, creates an unsolved enigma.

————

Centrée sur l'un des plus grands murs de sa salle à manger, cette vaste
composition exprime d'une façon bouleversante, sa vision du monde comme
entièrement mauvais. Une multitude difforme, maléfique et noire adore le
Mal, qui sous forme d'un bouc, reçoit l'hommage de l'Humanité. Seule une
silhouette féminine se tient en marge de la composition et laisse une énigme
entrouverte.

50

Francisco de GOYA y Lucientes (1746-1828)
Saturno devorando a un hijo
Cat. n.º 763   (L. 1,46 × 0,83)

El mito de Saturno devorando a sus hijos es, como es sabido, el Tiempo
destructor de sus propias criaturas. Goya viejo, atormentado por su visión de-
solada del mundo, su crueldad y su absurdo, hubo de sentir, además, con dolorosa intensidad, el paso del tiempo que le abocaba a la muerte. Este Saturno espeluznante, es la más cruel de sus visiones y uno de los puntos de parti-
da del expresionismo moderno.

———

The myth of Saturno devouring his sons is, as is well known, a symbol of
Time, which destroys its own creations. The older Goya, tormented by his desolate view of life with its cruelty and absurdity, must have felt, as well, with
painful intensity the passage of time which was leading him to the brink of
death. This hair-raising «Saturn» is the cruelest of his visions and one of the
starting points for modern Expressionism.

———

Le mythe de Saturne dévorant ses enfants, est comme on le sait, le Temps
destructeur de ses propres créatures. Goya âgé, tourmenté par sa vision déso-
lée du monde, sa cruauté et son absurdité, dut, de plus, sentir avec une force
intense, le pas du temps qui le menait à la mort. Ce Saturne hideux, est la
plus cruelle de ses visions et l'un des points de départ de l'expressionisme
moderne.

51

Fra ANGELICO (Fra Giovanni da Fiesole)
(1400-1455)
La Anunciación
Cat. n.° 15   (T. 1,94 × 1,94)

La Anunciación de Fra Angélico representa bien la sensibilidad religiosa, aún gótica, servida con un lenguaje formal ya renacentista y de una absoluta pureza de la concepción espacial. Las delicadas y frágiles columnas determinan un espacio donde el mensaje angélico se expresa con una unción y recato que valoran aún más los inimitables tonos de color.

––––

The «Annunciation» by Fra Angelico represents very well a still Gothic religious feeling, but using a formal language which is already Renaissance with an absolute purity in the concept of space. The delicate and fragile columns define a space in which the angelical message is expressed with a modest treatment which makes even more notable the inimitable shades of coloring.

––––

L'Annonciation de Fra Angelico représente bien la sensibilité religieuse, encore gothique, servie par une expression de forme déjà de la Renaissance et une pureté absolue dans la conception de l'espace. Les colonnes délicates et fragiles délimitent un espace où le message angélique s'exprime avec une douceur et une pudeur que les inimitables tons de couleurs réhaussent encore.

52

Andrea MANTEGNA (1431-1506)
El Tránsito de la Virgen
Cat. n.° 248   (T. 0,54 × 0,42)

Para muchos, la pequeña tablita de Mantegna es la mejor joya del Prado. Su prodigioso dibujo, su claridad compositiva y el lírico y a la vez geométrico paisaje, de tan audaz modernidad, hacen de esta obra una de las más simples y monumentales de la historia de la pintura.

———

For many, this tiny panel by Mantegna is the finest jewel in the Prado. Its prodigious lines, clarity of composition and the lyrical, and at the same time, geometrical landscape, of such an audacious modernity, make this work one of the simplest and one of the most monumental pieces in the history of painting.

———

Pour beaucoup, le petit tableau de Mantégna est le plus beau joyau du Prado. Son dessin prodigieux, sa clareté de composition et le paysage à la fois lyrique et géométrique, d'un modernisme si audacieux font de cette oeuvre l'une des plus simples et remarquables de l'historie de la peinture.

53

Antonello de MESSINA (1430-1479)
Cristo muerto sostenido por un ángel
Cat. n.° 3092   (T. 0,74 × 0,51)

Ingresada en el Museo por afortunada adquisición reciente, esta hermosa tabla de Antonello de Mesina pasa a ser una de las piezas más significativas del Prado, que, como es sabido, no posee apenas pintores italianos cuatrocentistas. Antonello, educado en Flandes y fundador en cierta manera de la pintura veneciana, muestra en esta tabla toda la patética emoción del arte nórdico, servido con un sentido de la forma bella de plenitud escultórica, bajo una luz difusa y transparente enteramente italiana. El bellísimo paisaje, cargado de símbolos de la muerte, es también muy representativo de su arte.

———

Added to the Museum's collection as the result of a fortunate recent acquisition, this beautiful panel by Antonello da Messina has become one of the most significant pieces in the Prado which, as is known, barely possesses works by the Italian quattrocento painters. Antonello, educated in Flanders —and in a certain sense the founder of Venetian painting— shows in this panel all the pathetic emotion of Nordic art, complemented by a feeling for beautiful forms of a sculptural fullness, beneath a diffuse and transparent light which is entirely Italian. The extremely lovely scenery, filled with symbols of death, is also very representative of his art.

———

Entré récemment au Musée, grâce à une heureuse acquisition, ce beau tableau sur bois d'Antonello de Messina devient une des pièces les plus remarquables du Prado, qui, comme on le sait, possède peu de peintres italiens des années 1400. Antonello, élevé dans les Flandres, et en quelque sorte fondateur de la peinture vénitienne, nous montre dans ce tableau toute l'émotion pathétique de l'art du nord, servie par un sens des formes d'une grande plénitude sculpturale, sous une lumière diffuse et transparente, tout à fait italienne. Le beau paysage, rempli des symboles de la mort, est lui aussi, très représentatif de son art.

54
Sandro BOTICELLI (1445-1510)
Historia de Nastaglio degli Onesti
Cat. n.º 2840   (T. 0,82 × 1,40)

Las tablas de la Historia de Nastaglio degli Onesti, sobre un texto de Boccaccio, que rezuma el desenfado y la gozosa plenitud de vivir del mundo rena-
cëntista, sirven para que Boticelli exprese en ellas su refinadísimo sentido de
la línea, su sereno y casi mágico paisaje, nada real, y su colorido esmaltado.

———

The panels of the «Story of Nastaglio degli Honesti» from a text by Boccaccio, brimming over with the naturalness and zest for life of the Renaissance
world, allow Boticelli to express his extremely refined sense of line, his serene and almost magical landscapes, not in the least realistic, and his embellish-
ed colors.

———

Les tableaux de l'Histoire de Nastaglio degli Onesti, d'après un texte de
Boccaccio, qui distille la désinvolture et la joyeuse plénitude de vivre du monde de la Renaissance, aident Boticelli à exprimer son sens très raffiné de la
ligne, son paysage serein et quasi magique hors du réel, et son coloris émai-
llé.

55
RAFAEL de Urbino (1483-1520)
La Sagrada Familia del Cordero
Cat. n.º 296   (T. 0,29 × 0,21)

La Sagrada Familia del Cordero, fechada en 1507, es decir, en la etapa floreciente de Rafael, responde a una evidente sugestión leonardesca. En ella Rafael funde el paisaje umbro, la esfumatura leonardesca y la solemnidad florentina (la figura de San José), dando una de sus más exquisitas piezas juveniles, ya personal a pesar de todo. Obra, además, enteramente de su mano frente a tantas otras, posteriores, realizadas con la ayuda material de sus colaboradores.

————

The «Holy Family with the Lamb», dated in 1507, that is, in Raphael's Florentine period, corresponds to an obvious Leonardesque influence. In it Raphael combines an Umbrian landscape, a Leonardesque sfumatto and a Florentine solemnity (the figure of St. Joseph), presenting us with one of his most exquisite youthful pieces, which, in spite of everything, already bears the stamp of his personality. The work, besides, is entirely by his hand in comparison with so many others, which are done with collaborators.

————

La Sainte Famille avec l'Agneau, datée en 1507, c'est à dire, pendant l'étape florentine de Raphaël, correspond à une évidente suggestion de Leónard de Vinci. Raphaël fond en elle le paysage d'Ombrie, le flou de Léonard, et la solemnité florentine (la figure de Saint Joseph), donnant ainsi une de ses plus exquises oeuvres juvéniles, déjà personnelle malgré tout. De plus, cette oeuvre est entièrement de sa main, face à tant d'autres postérieures, réalisées par ses collaborateurs.

798.

56

RAFAEL de Urbino (1483-1520)
Caída en el Camino del Calvario, «El Pasmo de Sicilia»
Cat. n.º 298   (Tabla pasada a lienzo, 3,18 × 2,29)

Conocida popularmente por el «Pasmo de Sicilia» por un juego de palabras con el nombre del convento de donde procede (la «Madonna dello Spasimo», en Palermo), es ésta, sin duda, una de las obras más significativas de Rafael en su etapa romana de plenitud. Es posible que en la ejecución material se valiese de la colaboración de alguno de sus mejores discípulos, quizás especialmente Julio Romano, pero la invención y la mayor parte del cuadro son sin duda obra suya personal e intensísima.

———

Popularly known as «The Wonder of Sicily», a play on words («Pasmo de Sicilia») based on the name of the convent from which it comes «the «Madonna dello Spásimo») in Palermo, this is surely one of Raphael's most significant works from his fully mature Roman epoch. The collaboration of some of his best students, especially Julio Romano, is possible in the purely material sense, but the conception and most of the work are doubtlessly the intensely personal effort of the artist. The dramatic Christ, of such a solemn sobriety, the group of extremely lovely Maries and the executioner shouting from the center of the composition are of an exceptional quality.

———

Connu populairement sous le nom de «Pasmo de Sicile», dû à un jeu de mots fait avec le nom du couvent dont il provient (la Madonna dello Spasimo) à Palerme, c'est sans doute une des oeuvres les plus représentatives de l'étape romaine de Raphaël, dans sa plénitude. Il est possible que pour l'exécuter il ait eu recours à la collaboration d'un de ses meilleurs disciples, peut ètre Julio Romano spécialement, mais l'idée et la plus grande partie du tableau, sont certainement son oeuvre, personnelle et très intime.

57

RAFAEL de Urbino
Retrato de Cardenal
Cat. n.º 299   (T.0,79 × 0,61)

El Cardenal de Rafael, cuya identidad aún no ha podido fijarse de modo definitivo, es uno de los rostros más inolvidables con que pueda enfrentarse el contemplador y una de las obras maestras de la retratística rafaelesca. Toda la inteligencia desdeñosa, la implacable frialdad y la refinada sensualidad que imaginamos en el tipo humano del Renacimiento romano, afloran a este retrato con intensidad casi alucinante.

––––

This «Cardinal» by Raphael, who has still not been definitively identified, is one of the most unforgettable faces which the viewer may contemplate and one of the masterpieces in Raphael's gallery of portraits. All the haughty intelligence, implacable coolness and refined sensuality which we imagine in the very human figures of the Roman Renaissance stand out in this portrait of an almost hallucinatory intensity.

––––

Le Cardinal de Raphaël, l'identité n'a pas encore été établie de manière définitive, est l'un des visages inoubliables face auquel peut se trouver celui qui le contemple et l'un des chefs d'oeuvre de Raphaël comme portraitiste. Toute l'intelligence dédaigneuse, l'implacable froideur et la sensualité raffinée que nous imaginons à l'homme de la Renaissance romaine, affleurent dans ce portrait, avec une intensité presque hallucinante.

58

Antonio Allegri, llamado «CORREGIO»
(1489-1534)
Noli me tangere
Cat. n.º 111   (Tabla pasada a lienzo, 1,30 × 1,03)

La delicadeza femenina y casi enfermiza, y la sensualidad refinada y equívo-
ca de Corregio, se evidencia en este «Noli me tangere» con la estremecida y
anhelante figura de la Magdalena, contrapuesta a un Cristo apolíneo, de formas exquisitas casi en exceso, en un umbroso paisaje de aterciopeladas lejanías.

———

Correggio's feminine, almost infirm, delicacy and refined, ambiguous sensuality are evident in this «Noli me tangere», both in the trembling, impassioned figure of Mary Magdalen and the contrasting Apollonian Christ, with an
almost excessively exquisite form, set in a hazy landscape of velvet distances.

———

La délicatesse féminine presque maladive et la sensualité raffinée et équi-
voque du Corrège, sont évidentes dans ce «Noli me Tangere», avec la figure
de Madeleine frémissante et tendue avec ardeur, en opposition avec un
Christ aux lignes d'Appollon, de formes exquises, presque à l'excès, dans un
paysage ombragé aux lointains veloutés.

59

ANDREA del SARTO (1486-1530)
Asunto místico
Cat. n.º 334   (T. 1,77 × 1,35)

Andrea «senza errori» (sin errores) llamaban sus contemporáneos a Andrea del Sarto, por su rigurosa y severa perfección en la composición y el ensamblaje formal de sus composiciones. Una de sus obras maestras es este lienzo del Prado, bellísimo y misterioso, velado, en el rostro de la Virgen, con una melancolía ensoñadora y como ausente que añade un tono de inquietante modernidad. La composición, en el esquema piramidal característico del pleno renacimiento, es de una monumentalidad rotunda.

———

«Andrea senza errori» (without error) is what his contemporaries called Andrea del Sarto, because of his rigorous and severe perfection in the composition and formal arrangement of his works. One of his masterpieces is this extremely lovely and mysterious canvas in the Prado Museum, which is enveloped in a dreamy, far off melancholy (notice the face of the Virgin) which adds a disquieting touch of modernity. The composition, in the pyramidal form charateristic of the High Renaissance, possesses a rotund monumentality.

———

Surnommé Andrea «senza errori» (sans erreur) par ses contemporains en raison de la qualité de composition de ses oeuvres d'une perfection rigoureuse et sévère et de l'assemblage parfait de celles-ci. Un de ses chefs-d'oeuvre est cette toile du Prado très belle et mystérieuse où le visage de la Vierge est comme voilé par une mélancolie rêveuse qui la fait paraître absente, ce qui lui ajoute un air de modernisme inquiétant. La composition, d'un schéma pyramidal caractéristique de la pleine Renaissance, est catégoriquement monumental.

60

TIZIANO (ca. 1490-1576)
Autorretrato

Pintado seguramente a los 76 años (en 1566), este admirable autorretrato de Tiziano, anticipa por su técnica audacísima de golpes de pincel, lo que ha de ser la retratística velazqueña y, aún más cerca de nosotros, la de los impresionistas. Su enérgica expresión, por otra parte, nos habla de su potencia de caracterización, una de las más intensas de todo el renacimiento.

———

Surely painted at 76 years of age (in 1566) this admirable self portrait by Titian anticipates with its extremely audacious brush-work technique what will be the portrait work of a Velázquez, or even nearer our own time, the work of the Impressionists. Its energetic expression, on the other hand, tells us of the artist's powerful characterizations, some of the most intense in the entire Renaissance period.

———

Certainement peint en 1566, alors qu'il avait 76 ans, cet admirable autoportrait du Titien, anticipe par sa technique très audacieuse de coups de pinceaux, ce qui allait être celle de Vélazquez, et, plus proche de nous, celle des impressionnistes. D'autres part son expression énergique nous dit sa force de caractére, l'un des plus puissants de toute le Renaissance.

61

TIZIANO (1490-1576)
Bacanal
Cat. n.º 418   (L. 1,75 × 1,93)

Encargada por el Duque de Ferrara para su Estudio, en 1519, manifiesta, como todo el primer estilo de Tiziano, una intensa influencia de Giorgone, en el empleo del color como expresivo del gozo de vivir, los desnudos femeninos y el sentido lírico-simbólico del paisaje. El placer producido por el vino es el protagonista; personajes importantes son el cielo azul, las hermosas nubes. Parece que representa la llegada de Dionisos a la isla de Andrós (encontrando a los habitantes ebrios y a Ariadna dormida). La mujer de la flauta es Violante, amada del autor.

———

A work from early mature style (1519) done for the Duke of Ferrara, the «Bacchanal» is one of the most zestful, lively and pagan canvases from Titian's entire production. The lovely landscape, the delightful and rhythmic interplay of the figures and the extremely beautiful nudes had a profound influence on later painting. From this point originate (but developing in different directions) certain aspects of Poussin's and Rubens' work.

———

Oeuvre de sa première maturité (1519), peinte pour le Duc de Ferrare, la Bacchanale est une des oeuvres les plus joyeuses, vitales, et païennes de toute la production du Titien. Le beau paysage, l'enlacement joyeux et rythmique des corps, ainsi que les nus splendides, influencèrent beaucoup la peinture postérieure. C'est d'ici, que dérivent en directions opposées, certains aspects de l'oeuvre de Poussin et Rubens.

62

TIZIANO (1490-1576)
El Emperador Carlos V en Mühlberg
Cat. n.º 410   (L. 3,32 × 2,79)

Pintado en Augsburgo en 1548, después de la victoria de Carlos V sobre los protestantes. El Emperador viste la armadura que llevó a la batalla. Es uno de los mejores retratos de la Historia del Arte. La composición deja de ser teórica y estática y busca la naturalidad de la acción directa. La luz rojiza del crepúsculo envuelve la totalidad de la composición, dándole una unidad ambiental dramática y densa.

————

Painted in Augsburg in 1584 after Charles V's victory over the Protestants, the Emperor has on the armour which he wore in the battle. It is one of the best portraits in the entire history of art. The composition is no longer theoretical or static; it seeks a natural expression in direct action. The reddish light of he sunset enfolds the entire composition, giving it a tense and dramatic unity of atmosphere.

————

A été peint à Augsbourg, en 1584, après la victoire de Charles V sur les protestants. L'Empereur revêt l'armure qu'il porta à la bataille. C'est un des meilleurs portraits de l'Histoire de l'Art. La composition abandonne la théorie et l'esthétique et recherche le naturel de l'action directe. La lumière rougeoyante du crépuscule enveloppe l'ensemble de la composition lui donnant une ambiance dramatique et profonde à la fois.

63

TIZIANO (1490-1576)
Danae recibiendo la lluvia de oro
Cat. n.º 425   (L. 1,29 × 1,80)

El género mitológico, que él llamó «poesías», fue muy cultivado por Tiziano, como ocasión para tratar el desnudo, en especial femenino, y con gran éxito por parte de sus regios clientes. En esta Danae rendida a Júpiter, que la cubre en forma de monedas de oro, nos ha dejado un hermosísimo desnudo adolescente que, pese a la audacia en la posición y tema, y a su fuerte sensualidad, no tiene la procacidad de otros desnudos tizianescos. Fechada hacia 1553, existen varias réplicas, pero ésta es quizás la más hermosa, por su vivacidad cromática.

———

The mythological genre, which he called «poetry», was greatly cultivated by Titian, as a pretext to do nude studies, especially female ones, which brought him great success among his royal clients. In this «Danäe» conquered by Jupiter, who covers her in the form of golden coins, the artist has left us an extremely beautiful adolescent nude which, in spite of the audacious posture and theme and its strong sensuality, does not possess the insolence of other Titianesque nudes. Dated around 1553, various versions exist, but this is perhaps the most beautiful, due to its lovely colors.

———

Le genre mythologique, qu'il appela «poésies», fut très cultivé par le Titien, étant une occasion pour lui de traîter le nu, spécialement le nu féminin, avec un grand succès auprès de ses clients royaux. Dans cette Danaè, soumise à Jupiter qui la couvre sous forme de monnaies d'or, il nous a laissé un très beau nu d'adolescente qui, malgré l'audace de la posture et du thème, et sa puissante sensualité, n'a pas l'impudeur d'autres nus du Titien. Elle est datée vers 1553. Il en existe plusieurs répliques, mais celle-ci est sans doute, la plus belle, à cause de sa vigueur chromatique.

31

Escuela italiana. Siglo XVI

64

Pablo VERONES (1528-1588)
Moisés salvado de las aguas del Nilo
Cat. n.° 502   (L. 0,50 × 0,43)

La opulencia sensual, escenográfica y lujosa del arte de Pablo Veronés, se manifiesta riquísimamente en este Moisés salvado de las aguas, donde las sedas, los rasos, los oros y el gusto por los tipos exóticos, se despliega ampliamente en un paisaje de bellas lejanías.

———

The sensual opulence, luxurious and scenographic in Paolo Veronese's art, is richly represented in this «Finding of Moses», in which the silks satins, gold and taste for exotic characters unfold in a sweeping landscape of lovely distances.

———

L'opulence sensuelle, scénographique et somptueuse de l'art de Paul Véronèse se manifeste très richement dans ce tableau «Moïse sauvé des Eaux», où les soies, les satins, les ors et le goût pour les types exotiques, se déploient largement en un paysage aux breaux lointains.

691.

65

Pablo VERONES
Venus y Adonis
Cat. n.° 482   (L. 2,12 × 1,91)

El mundo mitológico brinda magníficas ocasiones de lucimiento al espíritu lujoso y sensual de Veronés. Este magnífico Venus y Adonis muestra con evidencia toda la complacencia en los accesorios de lujo, pero sobre todo la maestría en el tratamiento luminoso, que al subrayar, en las manchas de luz solar sobre los cuerpos, el temblor luminoso del sol a través de las hojas, anticipa efectos del impresionismo moderno, y hubo de entusiasmar a Velázquez y a todos los pintores del barroco.

———

The mythological world offers magnificent occasions for the display of Veronese's luxurious, sensual spirit. This magnificent «Venus and Adonis» shows very well all his delight in luxurious accessories, but especially his mastery in the treatment of the light. His emphasis (in the spots of sunlight on the figures) on the shimmering luminosity of the sun coming through the leaves anticipates modern Impressionist effects. Veronese's lighting would impress Velázquez and all the Baroque painters.

———

Le monde mythologique offre à Véronèse de multiples occasion de faire valoir son goût du luxe et sa sensualité. Ce très beau tableau de Vénus et Adonis souligne toute sa complaisance pour les accessoires somptueux, mais surtout sa maîtrise de la lumière qui souligne par des tâches de soleil sur le corps, le tremblement lumineux du soleil à travers les feuilles. Véronèse anticipe ainsi les effets de l'impressionnisme moderne et il dut enthousiasmer Vélazquez et tous les peintres baroques.

66

TINTORETO (1518-1594)
El Lavatorio
Cat. n.° 2824   (L. 2,10 × 5,33)

El Lavatorio de Tintoreto es no sólo una de sus más bellas obras, sino quizás la más representativa de su gusto por los espacios amplios, las luces frías,
como de plata, y la composición dispersa en grupos sólidamente trabados en
su aparente inconexión. Obra que admiró a Velázquez, en ella está en ger-
men el «aire ambiente» que obsesionó al gran sevillano

———

The «Washing of the Feet» by Tintoretto is not only one of his most beautiful
works, but also perhaps the one most representative of the artist's taste,
with the open spaces, cold silvery light and a composition with separate
groups which are firmly linked in spite of their apparent dispersion. A
work which was admired by Velázquez, in it may be seen, in potential, the
«air as atmosphere» which so obsessed the great Sevillian painter.

———

«Le Lavement des Pieds», de Tintoret, est non seulement une de ses plus
belles oeuvres, mais encore, peut être, la plus représentative de son goût
pour les espaces vastes, les lumières froides, comme argentées et la composition dispersée en groupes solidement liés dans leur manque apparent de
connexion. Oeuvre qui étonna Vélazquez, on y trouve en germe cet «air
ambiant» qui obséda le grand sévillan.

67

CARAVAGGIO (1570-1610)
David vencedor de Goliat
Cat. n.º 65 (L. 1,10 × 0,91)

Caravaggio es una de las figuras capitales de la historia del Arte. Rebelde, renovador y desafiante, realiza la proeza de erigir al hombre, con su dramática condición, su pasión y su diario sufrimiento, en protagonista absoluto de la pintura. El naturalismo tiene en él el más apasionado paladín. Sus modelos, lejos de cualquier estilización embellecedora, son tipos de la calle en toda su sobrecogedora inmediatez, subrayada, además, por la utilización de una luz dirigida violentamente sobre los seres y las cosas, que les hace emerger dramáticamente de una sombra misteriosa y devoradora. Cristo, los santos o los héroes adquieren así una presencia impresionante y humanísima que llegó en ocasiones a resultar excesiva para sus comitentes. El David del Prado es un magnífico ejemplo de su arte en su fase de más severa compostura.

Caravaggio is one of the chief figures in the Art history. Rebel, revolutionary and defiant, he totally succeeds in setting man, with his dramatic condition, his passion and daily sufferings, as the sole character of painting. He is the best paladin of naturalism. His models, far from being beautifully enhanced, are characters from the populace, most surprisingly present due to the use of a violent light on persons and objects which makes them dramatically emerge from a dark and devouring shadow. Christ, the saints or heroes thus acquire an extraordinary and very human look which even sometimes proved to be excessive to his commissioners. David from the Prado is a marvellous example of his art in his most rigorous composition period.

Caravage est une des principales figures de l'histoire de l'Art. Rebelle, rénovateur et provocateur, il réalise la prouesse d'ériger l'homme, avec sa dramatique condition, sa passion et sa souffrance quotidienne, en protagoniste absolu de la peinture. Le naturalisme trouve en lui son partisan le plus passionné. Ses modèles, pas du tout choisis pour embellir, sont des gens de la rue dans toute leur saisissante authenticité, soulignée, de plus, par l'utilisation d'une lumière violemment dirigée sur les êtres et les choses, qui les fait dramatiquement surgir d'une ombre mystérieuse et dévorante. Le Christ, les saints ou les héros acquièrent ainsi une présence impressionnante et très humaine qui finit parfois par être excessive (pour leurs interprètes). Le David du Prado est un magnifique exemple de son art dans sa phase de composition la plus sérvère.

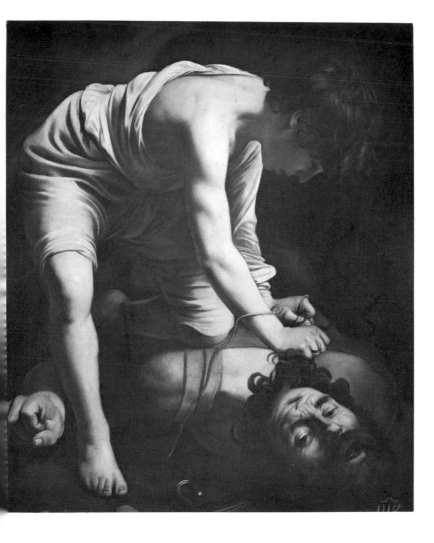

68

Guido RENI (1575-1642)
Hipomenes y Atalanta
Cat. n.º 3090   (L. 2,06 × 2,97)

Guido Reni fue sin duda el artista boloñés de más prestigio en su tiempo, a lo largo de todo el siglo XVIII y en los comienzos del siglo XIX. Su arte de elegantísimo equilibrio y claridad en la composición, siempre de maravillosa armonía y de refinadísimo colorido, encarna de modo admirable el clasicismo seiscientista. Aunque sus composiciones religiosas puedan haber parecido a veces de cierta convencional artificiosidad, sus lienzos mitológicos de bellísimos desnudos escultóricos, en elegantes actitudes, constituyen una de las cimas más altas del arte de su siglo. El Hipomene y Atalanta del Prado, es quizá la mejor de sus composiciones, dispuesta con la precisión y armonía de un relieve griego.

———

Guido Reni has undoubtedly been the Bolognese artist of greates prestige in his epoch, all through the XVIIIth-century and beginning of the XIXth. His art of a very elegant equilibrium and clear composition, of a marvellous harmony and a colourful palette, admirably represents the classicism of the sixteen hundreds. Although his religious paintings may have sometimes revealed a rather conventional artificiality, his mythological canvases with their beatiful scultural nudes, in elegant postures, are among the top masterpieces of art in his century. Hipomenes and Atalanta from the Prado is perhaps his best composition, with the precision and harmony of a Greek bas-relief.

———

Guido Reni fut sans doute l'artiste bolonais le plus prestigieux de son temps, tout au long du XVIIIème siècle et au début du XIXème. Son art, élégamment équilibré et clairement composé, toujours d'une merveilleuse harmonie et de coloris raffiné, incarne de façon admirable le classicisme du XVIIème siècle. Bien que ses compositions religieuses aient pu parfois paraître teintes d'un certain artifice conventionnel, ses toiles mythologiques aux splendides nus sculpturaux, en élégantes attitudes, constituent un des sommets les plus hauts de l'art de son siècle. Hipomène et Atalante du Prado est peut-être la meilleure de ses compositions, disposée avec la précision et l'harmonie d'un relief grec.

69

Giambattista TIEPOLO (1696-1770)
Angel portador de la Eucaristía
Cat. n.º 364   (L. 1,85 × 1,78)

Tiépolo es el último de la gran serie de los pintores venecianos, que pro-
longa hasta muy entrado el siglo XVIII el gusto sensual por el color y el im-
pulso decorativo del siglo XVI. De sus trabajos para Aranjuez, víctimas del furor neoclasicista de los devotos de Mengs, se conservan varios fragmentos,
entre ellos este soberbio ángel, parte superior de un San Pascual Bailón, de
deslumbrante belleza.

———

Tiepolo is the last in the great series of Venetian painters which prolongs
until well into the XVIIIth century a sensual taste for color and a decorative
impulse from the XVIth century. Of the artist's pieces done for the Aranjuez
Palace (afterwards victims of the Neoclassical furor of Mengs' devotees) seve-
ral fragments have been saved, among them this superb angel of a dazzling
beauty, which formed the upper part of a picture dedicated to St. Pascual Bailón.

———

Tiépolo est le dernier de la grande série des peintres vénitiens qui prolon-
ge a bien entré le XVIIIème siècle, le goût sensuel pour la couleur et l'élan décoratif du XVIème. De ses travaux pour Aranjuez, victimes de la rage néoclassique des dévots de Mengs, on conserve divers fragments, entre autres, cet
ange superbe, partie supérieure d'un Saint Pascual Bailon, d'une beauté
éblouissante.

70

Roberto CAMPIN (1375-1444)
Santa Bárbara
Cat. n.º 1514   (T. 1,01 × 0,47)

Roberto Campin, llamado hasta fecha reciente Maestro de Flemalle, da, en la generación de los Van Eyck, creadores del estilo flamenco, una nota personal en la representación de los cuidadosos interiores, preciosos en su detalladísimo modo de tratar los accesorios realistas. Su Santa Bárbara es una dama contemporánea leyendo en su cuarto. Apenas en el paisaje se encuentra una alusión a la leyenda piadosa de su martirio en la torre del fondo.

———

The Master of Flemalle —whether he is Robert Campin or the young Van der Weyden, as it has sometimes been supposed— offers, in the Van Eycks' generation, a personal note in the portrayal of the carefully done interiors, with a preciously detailed manner of treating the realistic accessories. His «St. Barbara» is a gentlewoman of the time reading in her room. In the landscape in the background there is only a small hint of her martyrdom in the tower.

———

Le Maître de Flémalle, qu'il soit Robert Campin ou le jeune Van der Weyden, comme on l'a parfois supposé, donne, à la génération des Van Eyck, une note personnelle dans la représentation des intérieurs soignés, ravissants par sa façon excessivement détaillée de traîter les accessoires réalistes. Sa Sainte Barbe est une dame contemporaine, en train de lire dans sa chambre. C'est à peine si, dans le paysage, on trouve une allusion au martyre, dans la tour.

71

Roger Van DER WEYDEN (1399-1464)
El Descendimiento de la Cruz
Cat. n.º 2825   (T. 2,20 × 2,62)

El Descendimiento de Weyden, quizá su obra maestra, junta una sencillez casi clásica en la composición con un expresionismo dramático, que se cuaja en los rictus dolorosos y en el abandono frío, delgado y cadavérico del cuerpo de Cristo. Pintado hacia 1435, para Lovaina, fue de María de Hungría y estuvo en El Escorial hasta 1939.

The «Descent from the Cross» by Van der Weyden, perhaps his masterpiece, combines an almost classical simplicity in the composition with a dramatic expressionism which culminates in the painful grimaces on the faces and the delicately cold and deathly limp body of Christ. Painted around 1435, for Lovaina, it belonged to María of Hungary and was in El Escorial until 1939.

La Descente de Croix de Weyden, sans doute, son chef-d'oeuvre, réunit une simplicité presque classique dans la composition, avec un expressionnisme dramatique qui se cristallise dans les rictus douloureux et dans l'abandon froid, émacié et cadavérique du corps du Christ. Peint vers 1435, pour Louvain, il appartint à Marie de Hongrie et fut à l'Escorial jusqu'en 1939.

72

Dirck BOUTS (1420-1475)
La Anunciación-La Visitación-La Adoración de los Angeles-La Adoración de los Magos
Cat. n.º 1461   (Tabla central 0,80 × 1,05; laterales 0,80 × 0,56)

El conjunto de las cuatro tablas de la Vida de la Virgen de Dirck Bouts presenta con evidencia el gusto realista en la expresión de los hechos sagrados.
El delicioso paisaje multiplica los detalles menudos y accesorios y en el encua-
dramiento arquitectónico, da a las escenas valor de compartimentos de retablo escultórico o de representación teatral.

———

The series of four panels on the «Life of the Virgin» by Dieric Bouts shows
an evident realistic taste in the narration of the sacred episodes. The delicate
landscape adds to the number of everyday details and accessories and the architectural background gives the scenes the feeling of compartments in a
sculptured retable or of a theatrical set.

———

L'ensemble des quatre tableaux de la Vie de la Vierge, de Bouts, met en
évidence le goût réaliste dans l'expression des faits sacrés. Le paysage exquis
multiplie les petits détails et les accessoires, et dans l'encadrement architectural, il donne aux scènes une valeur de compartiment de rétable sculpté, ou de
représentation théâtrale.

DIERICK BOUTS. La Bhounlier de les Bruylles

La Visitation   La Martyrcation   La Nativite

73

Hans MEMLING (1440-1494)
La Natividad-La adoración de los Reyes-La Purificación
Cat. n.º 1557 (Tabla central, 0,95 × 1,45; laterales, 0,95 × 0,63)

Discípulo de Weyden, Memling dulcifica su estilo y lo impregna de una mansa delicadeza, un tanto teñida de lírica melancolía, bien opuesta al tenso dramatismo del maestro. El Tríptico de la Epifanía se inspira en uno de Weyden (en Munich) pero varía su carácter e incluso introduce la novedad iconográfica del Rey negro que luego se hará habitual.

———

A student of Van der Weyden's, Memling sweetens his style and impregnates it with a sweet delicacy, tending a bit toward a lyrical melancholy, quite the opposite of his master's tense dramatism. The «Triptych of the Epiphany» is inspired by one by Van der Weyden (in Munich), but with changes, even including the iconographical novelty of the Negro Magus, which will later become standard.

———

Disciple de Weyden, Memling adoucit son style et l'imprègne d'une douce délicatesse, légèrement teintée de mélancolie lyrique, entièrement à l'opposé du dramatisme crispé du maître. Le Tryptyque de l'Epiphanie est inspiré par l'un de Weyden (à Munich) mais son caractère varie, et il y introduit même la nouveauté icônographique du Roi Noir qui deviendra habituelle.

74

EL BOSCO, Hieronimus van Aeken Bosch (1450-1516)
Adoración de los Magos
Cat. n.º 2048   (Tríptico, puertas 1,38 × 0,34; Tabla central
1,38 × 0,72)

Es quizá, el más refinado de técnica entre todos los cuadros de El Bosco.
Cerrado, el tríptico representa en grisalla la Misa de San Gregorio. Abierto,
las portezuelas muestran a los donantes con sus santos patronos, al modo tradicional. Es en los bellísimos paisajes lejanos y en algunos detalles de la escena principal, donde aparecen los motivos enigmáticos y ese no sé qué inquietante que caracteriza al autor.

———

This is perhaps, from among all of Bosch's pictures, the one with the most
refined technique. When closed, the triptych depicts the «Mass of St. Gregory»,
done in grisaille. Open, the side panels show the donors with their patron
saints, in the traditional manner. In the lovely, far-off landscapes and in some
details of the main scene appear the enigmatic motifs and mysterious disquie-
tude which characterize the artist.

———

Parmi tous les tableaux de Bosch, c'est, peut être, celui dont la technique
est la plus raffinée. Quand il est fermé, le triptyque représente, en grisaille, la
Messe de Saint Grégoire. Ouvert, les portes montrent, de façon traditionnelle,
les donnateurs avec leurs Saints Patrons. C'est dans les très beaux paysages
lointains et dans certains détails de la scène principale, qu'apparaissent les
motifs énigmatiques et, ce je ne sais quoi inquiétant, qui caractérise l'auteur.

75
EL BOSCO, Hieronimus van Aeken Bosch
(1450-1516)
El jardín de las Delicias
Cat. n.º 2823   (Tríptico, T. 2,20 × 1,95)

El jardín de las Delicias es, sin duda, la obra maestra del Bosco. Su inge-nio tremendo, su desbordada fantasía y su personal mundo absurdo, puesto al servicio de una concepción moral, rigurosa y pesimista, en pocas obras se manifiesta con más mágica intensidad que aquí. Enigmática en muchísi-mos detalles de carácter casi surrealista, la significación general (Creación, Pecados de la carne, Infierno) está clara.

———

In none of his works does Bosch present such symbolic complexity as here in this picture, in which all the customary difficulties of interpretation seem to have accumulated at once, creating a strangely enigmatic and se-ductive ambiguity. The overall meaning seems clear and similar to that of the «Hay Wagon»: the Creation, the Sins of the Flesh and Hell. The detail, however, is seldom as free-wheeling and overflowingly imaginative as here.

———

Le jardin des Délices est peut-être, le chef-d'oeuvre de Bosch. Son talent formidable, son imagination débordante, et son monde absurde et person-nel, mis au service d'un concept moral rigoureux et pessimiste, se manifes-tent en peu de ses oeuvres avec autant d'intensité magique qu'ici. Enigma-tique dans bien des détails, d'un caractère presque surrèaliste, le sens géné-ral (Création, Péchés de la Chair, Enfer), est clair.

76
EL BOSCO, Hieronimus van Aeken Bosch
(1450-1516)
Mesa de los pecados capitales
Cat. n.º 2822   (T. 1,20 × 1,50)

Obra probablemente juvenil en la producción del Bosco, esta curiosa tabla, concebida seguramente como mesa para ser vista en posición horizontal, muestra en sus diversos compartimentos una evidente relación con el
arte de los miniaturistas con los cuales hubo de formarse el pintor. A la
vez, su agudo e incisivo sentido crítico sabe ver los aspectos más propicios a
la caricatura en el ambiente burgués de su tiempo, que él conocía tan bien,
y de donde surge la demoledora y profunda visión reformadora del mundo
religioso y moral.

———

Probably a youthful work within Bosch's production, this curious panel
(surely conceived as a tabletop and, therefore, to be viewed in a horizontal
position) displays in its diverse compartments an evident relationship with
the arts of the miniaturists with whom the painter must have studied. At
the same time, his sharp, incisive, critical sense knows how to seek out the
most appropriate elements for caricatures in the bourgeois atmosphere of
his time, which he knew so well and from which will come the devastating
and profound vision which attempts the religious and moral reform of his
world.

———

Ce curieux panneau, conçu certainement pour être comtemplé à plat
comme une table, est probablement une oeuvre de jeunesse dans la production de Bosch. Dans les différents compartiments, existe une relation
évidente avec l'art des miniaturistes chez lesquels le peintre dut se former.
Son sens critique aigü et incisif sait voir les aspects les plus propres à la ca-
ricature dans l'ambiance bourgeoise de son temps qu'il connaissait si bien
et d'où surgit la profonde et dévastatrice vision réformatrice du monde religieux et moral.

77
Joachin PATINIR (1480-1524)
El paso de la Laguna Estigia
Cat. n.º 1616   (T. 0,64 × 1,03)

Patinir es sin duda alguna el verdadero fundador de la pintura de paisaje. Sus amplísimos horizontes anticiparon lo que ha de ser la fabulosa floración del paisaje en los siglos XVI y XVII. Mitad real, mitad ensoñación fantástica, sus pinturas parecen desentenderse del argumento, limitado a sus diminutos personajes, para recrearse en la visión de una deslumbradora panorámica de campos, lagunas y montañas que rezuman una admiración, desbordadora y temerosa, ante la naturaleza inabarcable.

———

Patinir is doubtlessly the true founder of landscape painting. His extremely broad horizons anticipate what would later be the fabulous flowering of landscape in the XVIth and XVIIth centuries. Half real, half fantastic dreams, his paintings seem to ignore the plot, limited to the diminutive figures, in order to revel in the vision of a dazzling panorama of fields, lagoons and mountains which exude an unbounded but fearful admiration of untamed nature.

———

Patinir est sans aucun doute le véritable créateur de la peinture de paysages. Il anticipe dans ses vastes horizons la fabuleuse floraison de ce genre au XVIème et XVIIème siècle. Mi-réalité, mi-rêve fantastique, ses oeuvres ne semblent pas tenir compte de l'argument, limité à de tout petits personnages, pour se récréer dans la vision d'éblouissants panoramas de champs, lacs et montagnes, exprimant une admiration débordante et angoissée devant la nature incompréhensible.

78
Quetin METSYS (1465-1530)
Cristo presentado al pueblo
Cat. n.º 2801   (T. 1,60 × 1,20)

Personalidad de primer orden en el arte flamenco de comienzos del Renacimiento. Quentín Metsys acierta a fundir la tradición nórdica del detalle minucioso, de la objetividad implacable y la afición a lo violentamente expresivo, con la técnica italiana del esfumado leonardesco y con el uso de motivos decorativos directamente tomados de modelos renacentistas. Su Ecce Homo, de tipos crispados y caricaturescos, es una obra maestra característica de su madurez y de su afición a la riqueza decorativa y a un cierto expresionismo.

—————

A personality of the first order in Flemish art at the beginning of the Renaissance, Quentin Metsys succeeded in blending the Nordic tradition of minute detail, implacable objectivity and a preference for visually expressive elements with an Italian technique of a Leonardesque sfumatto and the use of decorative motifs taken directly from Renaissance models. His «Ecce Homo», with convulsive, caricaturesque figures, is a masterpiece characteristic of his mature epoch and of his preference for a decorative richness and a certain expressionism.

—————

Quintin Metsys est une personnalité de tout premier plan dans l'art flamand des débuts de la Renaissance, il réussit à associer la tradition nordique du détail minutieux, de l'objectivité implacable et la goût pour un expressionisme, avec la technique italienne du flou de Léonard de Vinci, utilisant des motifs décoratifs directement empruntés aux modèles de la Renaissance. Son «Ecce Homo», aux personnages crispés et caricaturaux, est un chef-d'oeuvre caractéristique de sa maturité et de son goût pour la richesse ornementale et un certain genre d'expressionnisme.

79
Pieter BRUEGHEL «el viejo» (h. 1525-1569)
El triunfo de la muerte
Cat. n.º 1393   (T. 1,17 × 1,62)

En un paisaje desolado, con el horizonte muy alto, a la manera tradicional flamenca, desarrolla Brueghel el estremecedor pasaje apocalíptico de la
invasión de la muerte. En filas compactas, a caballo y a pie, desde extrañas
barcas y surgiendo de tumbas abiertas, la muchedumbre de los muertos
ahoga y da caza a los vivos, sin tregua ni paz.

―――

In a desolate landscape with the elevated horizon traditional in Flemish
art, Brueghel narrates the terrifying passage from the Apocalypse on the Invasion of Death. In compact columns, on foot and horseback, disembarking
from strange ships and rising out of open graves, the multitudes of the
dead hunt down and smother the living without the least sense of pity or
mercy.

―――

Héritier, en quelque sorte, de l'imagination morale de Bosch, Brueghel·
le Vieux offre dans le «Triomphe de la Mort», une vision impitoyable de la
vie vourée à la mort. Sorte de résurrection du thème médiéval de «La
Danse de la Mort», sa coïncidence avec les sermons de la réforme contemporaine est significative.

80
Antonio MORO (1517-1576)
La Reina María de Inglaterra segunda mujer de Felipe II
Cat. n.º 2108   (T. 1,09 × 0,84)

Aunque sea holandés de nacimiento, en realidad hay que considerar a Antonio Moro como flamenco, pues aún no se habían independizado en su tiempo las provincias del Norte y permaneció toda su vida fiel a la corona de España. Su maestría de retratista cortesano le hizo creador de un tipo de sobrio retrato oficial, profundo en la sicología y minucioso en los detalles de vestido y tocado, que hizo fortuna en toda Europa y cuya influencia llega hasta el joven Velázquez. El de María Tudor, tía y esposa de Felipe II, es obra magistral, profunda y nada aduladora.

———

Although Dutch by birth, in reality Antonio Moro must be considered Flemish, because when he was born the Northern provinces had still not become independent and his entire life he remained faithul to the Spanish Crown. His mastery as a courtly portrait painter made him the creator of a type of sober official portrait, profound in its psychology and minute in the details of dress and coiffure, which was extremely successful all over Europe and the influence of which would reach even to the young Velázquez. The portrait of Mary Tudor, aunt and wife of Philip II, is a masterful work, profound and not in the least bit flattering.

———

Bien qu'il soit hollandais de naissance, il faut en réalité considérer Antonio Moro comme Flamand, car, à son époque, les provinces du Nord n'étaient pas encore devenues indépendantes, et toute sa vie il demeura fidèle à la couronne d'Espagne. Sa maîtrise comme peintre de Cour en fit le créateur d'un type de portrait officiel, sobre, d'une grande pénétration psychologique, et minutieux dans le détail des robes et des coiffures. Ce style fit fortune en Europe et cette influence arrive jusqu'au jeune Vélazquez. Celui de Marie Tudor, tante et épouse de Philippe, est une oeuvre magistrale, pénétrante, ne tombant pas dans la flatterie.

81

Peter Paul RUBENS (1577-1640)
El Duque de Lerma
Cat. n.º 3137   (L. 2,83 × 2,00)

Rubens fue la figura máxima del barroco europeo, artista de fecundidad creadora excepcional, que supo renovar, y en cierto modo crear, toda una nueva iconografía religiosa y mitológica de exuberante opulencia. Pero también en el retrato consiguió nuevas formas que harían fortuna luego. Su magistral retrato del Duque de Lerma, obra juvenil pintada en España en 1603, rompe definitivamente con la tradición renacentista del retrato ecuestre con el caballo de perfil, y lo hace avanzar sobre el espectador, de frente, imponiendo de modo directísimo la altivez y distancia del personaje con fuerza avasalladora.

———

Rubens was the maximum figure in the European Baroque period, an artist of an exceptional creative fecundity who knew how to renovate, and in a certain manner create, a whole new religious and mythological iconography of exuberant opulence. But in the portrait he also attained new forms which would later have great success. His masterful portrait of the Duke of Lerma, a youthful work painted in Spain in 1603, definitively breaks with the Renaissance tradition of an equestrian portrait with the horse in profile and instead makes it advance head on toward the spectator, thus imposing in a very direct manner, the distant haughtiness of the subject with a devastating forcefulness.

———

Artiste d'une fécondité créatrice exceptionnelle, Rubens fut la plus importante figure de l'art baroque européen. Il sut renouveller et, d'une certaine manière, créer toute une nouvelle icônographie religieuse et mythologique, d'une richesse débordante. Dans le portrait, il sut aussi trouver un nouveau style qui ferait ensuite fureur. Son magistral portrait du Duc de Lerma, oeuvre de jeunesse exécutée en Espagne en 1603, rompt définitivement avec la tradition de la Renaissance du portrait équestre, où le cheval est présenté de profil. Rubens le fait avancer face au spectateur, imposant d'une façon très directe la superbe et la fierté du cavalier, avec une force qui subjugue.

82

Peter Paul RUBENS (1577-1640)
Las Tres Gracias
Cat. n.º 1670 (T. 2,21 × 1,81)

La gozosa sensualidad barroca de Rubens se manifiesta rotundamente en Las Tres Gracias, obra de su madurez y enteramente personal. Las carnes femeninas de formas onduladas y tonalidades nacaradas, se yerguen en un paisaje de delicadísimos azules, en una composición de exultante y sana vitalidad.

———

Also bought for Philip IV in the sale of Rubens' estate, this marvellous canvas of healthy vitality and such robust beauty is one of the artist's most personal and intimate works. In the undulating, mother-of-pearl toned nudes with their smiling faces there may be seen an extremely fortunate synthesis of the painter's two wives, the dearly loved and only models in his career.

———

La joyeuse sensualité baroque de Rubens se manifeste catégoriquement dans les Trois Graces, oeuvre de sa maturité et entièrement personnelle. Les formes féminines, très ondulantes et de tons nacrés se dressent dans un paysage de bleus très délicats, dans une composition de vitalité saine et éxultante.

83

Peter Paul RUBENS (1577-1640)
El Jardín del amor
Cat. n.º 1690   (L. 1,98 × 2,83)

Procedente de la casa de Rubens, cuyo jardín opulento se reproduce en el lienzo, y adquirido en su testamentaria, este hermoso lienzo de tan exuberante y gozosa vitalidad, nos muestra —aunque la inclusión de los amorcillos revoloteantes le presten un carácter mitológico— una de las señoriales fiestas que el Rubens, «gran señor», daba en su palacio. Su rostro y el de su mujer Elena Forment, se reconocen con facilidad entre los galantes contertulios.

———

Hung in Rubens' home, the opulent garden of which is reproduced in this canvas, it was acquired in the auction of his estate. This lovely work of such an exuberant and lusty sensuality shows us —although the inclusion of the hovering little Cupids adds a mythological feeling— one of the magnificent parties which Rubens, «the great gentleman», used to give at this palatial estate. His face and that of his wife, Elena Forment, are easily recognized among the elegant guests.

———

Provenant de la maison de Rubens, dont le jardin somptueux est reproduit sur la toile, et acquise parmi ses biens de succession, cette belle composition, d'une sensualité exubérante et joyeuse, nous montre malgré l'inclusion des petits amours voltigeants qui lui prêtent un caractère mythologique—une des fêtes seigneuriales que Rubens, «grand seigneur», donnait dans son château. Son visage et celui de sa femme Hélène Forment, se reconnaissent facilement entre les galants assistants à la soirée.

84

Peter Paul RUBENS (1577-1640)
La Sagrada Familia con Santa Ana
Cat. N.º 1639   (L. 1,15 × 0,90)

Muy representativa de su concepción de la pintura religiosa de carácter más íntimo, que ejercerá luego una enorme influencia, es esta hermosa Sagrada Familia, pintada hacia 1628, y en cuya Virgen se advierte el evidente recuerdo de los rasgos de su primera mujer Isabel Brandt. El motivo maternal, de origen italiano, se anima aquí con una gracia y vitalidad nuevas.

———

Extremely representative of Rubens' concept of religious painting of a more intimate type —which will later exercise an enormous influence— is this beautiful «Holy Family» painted around 1628. In the Virgin may be seen an evident resemblance to Isabel Brandt, the artist's first wife. The maternal theme, Italian in origin, is elaborated here with a new grave and vitality.

———

Très représentative da sa conception de la peinture religieuse de caractère plus intime, qui aura ensuite une énorme influence, cette très belle Sainte Famille est peinte vers 1628, et dans cette Vierge, on peut remarquer l'évident souvenir des traits de sa première femme, Isabelle Brandt. Le motif maternel, d'origine italienne s'anime ici d'une grâce et d'une vitalité nouvelles.

85

Anton Van DYCK (1599-1641)
La coronación de espinas
Cat. n.º 1474   (L. 2,23 × 1,96)

Van Dyck es conocido, sobre todo por su labor de retratista de excepcional elegancia aristocrática. A la vez, es un creador de composiciones religiosas donde la opulencia de su maestro Rubens se remansa un tanto en esquemas algo más clásicos y una emoción más contenida. La Coronación de espinas, de época relativamente juvenil, es bien característica de su estilo.

———

Van Dyck is known, above all, for his work as a portrait painter of an aristocratic elegance. At the same time, he is the creator of religious paintings in which the opulence of his master Rubens is somewhat toned down in more classical outlines with more subdued emotions. The «Crowing with Thorns», a relatively early work, is quite characteristic of his style.

———

Van Dyck est connu, surtout pour son labeur de portraitiste d'une exceptionnelle élégance aristocratique. Il est à la fois un créateur de sujets religieux où l'opulence de son maître Rubens se modère un peu en schémas plus classiques et une émotion plus contenue. Le couronnement d'épines, d'une époque relativement juvénile, est bien caractéristique de son style.

86

Anton Van DYCK (1599-1641)
Sir Endimion Porter y Van Dyck
Cat. n.º 1489   (L. 1,10 × 1,14) en óvalo

Magistral, entre la rica y variada serie de retratos de Van Dyck que posee el Prado, es este soberbio Autorretrato, en que el pintor se representa en familiaridad respetuosa con su amigo y protector el noble inglés sir Endimion Porter. La sutil contraposición de las posiciones, frontal uno y escorzado el otro, subraya la diferencia social de los personajes, y el contraste entre el blanco y el negro de los trajes, maravillosamente tratados con elegantísima sobriedad, da la medida de la seguridad y refinamiento del pintor, dueño ya de todos los resortes de su arte exquisito.

———

Masterful among the rich and varied series of portraits by Van Dyck which the Prado possesses in this superb «Self-Portrait» in which the painter is represented in a respectful familiarity with his friend and protector the English nobleman Sir Endymion Porter. The subtle counterposition of the poses, one frontal and the other foreshortened, underlines the social difference between the subjects and the contrast between the black and white of the clothins, marvelously treated with an extremely elegant sobriety, show the measure of confidence and refinement of the painter, already master of all de resources of his exquisite art.

———

Le Musée du Prado possède une série riche et variée de portraits de Van Dyck. Parmi eux, il faut remarquer ce superbe autoportrait où le peintre, dans une attitude familière et respectuese, se représente en compagnie de son ami et protecteur, le noble anglais, Sir Endymion Porter. Les personnages sont présentés dans des attitudes subtilement opposées, l'un de face, l'autre de profil, soulignant ainsi les positions sociales différentes. Le sobre et élégant contraste entre le blanc et le noir des habits merveilleusement traités donne la mesure de l'assurance et du raffinement du peintre, déjà en pleine possession de tous les moyens de son art exquis.

Jacob JORDAENS (1593-1678)
Retrato de familia
Cat. n.º 1549   (L. 1,81 × 1,87)

Jordaens, la tercera gran figura de la pintura flamenca del siglo XVII, presenta ciertas características sicológicas y formales que le aproximan más a la
sensibilidad holandesa. Aunque a veces trabaja para la nobleza y conoce las
opulentas y sensuales composiciones mitológicas rubenianas, su lenguaje habitual es más casero y burgués, y prefiere escenarios menos suntuosos: las
fiestas campesinas y la acomodada prestancia de la burguesía comerciante. El
retrato de su familia, a pesar de ciertas notas lujosas en el ambiente, recuerda
más la inmediatez de Frans Hals que la cortesanía de Rubens, y la figura de
la niña es de una gracia infantil y popular enteramente nueva.

———

Jordaens, the third great figure in XVIIth-century Flemish painting, presents certain psychological characteristic which bring him closer to Dutch
taste. Although he works at times for nobility and he is acquainted with the opulent and sensual mythological compositions of Rubens, his usual expression is
more homely and bourgeois, and he prefers less sumptuous backgrounds:
peasant celebrations and the confortable excellence of the bourgeois mer-
chant. The portrait of his family, in spite of certain luxurious touches in the
atmosphere, recalls more the immediacy of Franz Hals than the courtly element of Rubens, and the figure of the little girl possesses an entirely new feeling of popular, child-like grace.

———

Jordaens, troisième grande figure de l'Ecole Flamande du XVIIème siècle,
présente certains caractères de psychologie et de composition qui le rapprochent davantage de la sensibilité hollandaise. Bien qu'il travaillât parfois pour
la noblesse et qu'il connût les somptueuses compositions sensuelles de Rubens, son langage habituel est plus familier et bourgeois, préférant les scènes
moins fastueuses: les fêtes champêtres et la prestance aisée de la bourgeoisie
commerçante. Malgré certains détails luxeux du décor, le portrait de sa famille rappelle davantage l'objetivité de Franz Hals que l'art de plaire de Rubens.
Sa petite fille y est d'une grâce enfantine et populaire tout à fait nouvelle.

88

David TENIERS (1610-1690)
El Rey bebe
Cat. n.º 1797   (C. 0,58 × 0,70)

David Teniers el joven, como su padre y su hermano, pintores también, cultiva en Flandes un género menudo, casero y popular, con escenas de taberna, de juegos de campesinos y de soldados, que trae también el recuerdo de sus contemporáneos holandeses. El tratamiento alegre, desenfadado y burlón muchas veces, delata un espíritu quizás superficial y carente de la serenidad y riqueza de matices de los holandeses, pero nos regala, a cambio, con una cantidad de pormenores ambientales y una maestría en la pintura de naturaleza muerta que hacen de él un digno heredero de la tradición de los primitivos.

———

David Teniers the Younger —like his father and brother, painters as well— cultivates in Flanders a modest, homely and popular genre, with scenes in taverns, of peasant games and soldiers which also recalls his Dutch contemporaries. The joyful, unencumbered, humorous treatment often shows a spirit which is perhaps superficial and lacking in the serenity and rich shades of color of the Dutch painters, but in offers us, on the other hand, an ambience and a mastery in the painting of still-lifes which prove him heir to the tradition of the Primitives.

———

Dans les Flandres, David Teniers le jeune, peintre de même que son père et son frère, cultive un genre humble, familier et populaire, où les scènes de taverne, les jeux de paysans et de soldats, évoquent le souvenir de ses contemporains hollandais. Mais sa facture gaie, enjouée et parfois moqueuse dénote un esprit sans doute superficiel et moins riche en nuances et en sérénité que celui de ces derniers. En échange, il nous régale avec une quantité de petits détails d'atmosphère, et sa maîtrise dans les natures mortes fait de lui un digne héritier de la tradition des primitifs.

Jan BRUEGEL «DE VELOURS» (1568-1625), Van BALEN (1575-1632), y otros
Alegoría de la vista y el olfato
Cat. n.º 1403   (L. 1,76 × 2,64)

Jan Brueghel, hijo del viejo Peter Brueghel de las fantasías, es artista co-
locado entre los dos siglos. Del XVI, manierista, conserva una riqueza de
invención caprichosa, un gusto por el paisaje amplio, de perspectivas casi
irreales, y algo de la tradicional minucia flamenca, que él pone al servicio,
con habilidad casi de miniaturista, de las flores y los objetos cotidianos, que
multiplica incansablemente. A la vez, hijo del siglo XVII, no puede sustraer-
se a la influencia de Rubens, y cuando pinta composiciones o alegorías, sus
personajes, cuando no son obra del gran maestro, con quien colaboran en
ocasiones, muestran claramente su influencia, dando un conjunto extraordi-
nariamente personal, suntuoso y cortesano, enteramente barroco.

Jan Bruegel, son of Peter Bruegel the Elder, who did the fantastic visions,
is an artist in between centuries. From XVIth-century Mannerism he maintains a wealth of capricious inventiveness, a preference for broad landscapes with almost unreal perspectives and something of the traditional Flemish minuteness which he puts at the service (with an almost miniaturist's
skill) of flowers and everyday objects which he unceasingly multiplies. At
the same time, already a child of the XVIIth century, he cannot avoid the
influence of Rubens and when he paints compositions or allegories his figures
are entirely dependent on those of the great master, producing a series
of works which are entirely Baroque: extraordinarily personal, sumptuous
and courtly.

Jean Brueghel, fils de Peter Brueghel le Vieux, celui des fantaisies, est un
artiste placé entre deux siècles. Du XVIème siècle maniériste il conserve
une richesse d'imagination capricieuse, un goût pour les paysages amples
aux perspectives quasi-irrélles et un reste de la précision flamande traditionnelle qu'il met au service des fleurs et objets quotidiens, multipliés infa-
tigablement avec un talent de miniaturiste. Mais il est aussi fils du XVIIème
siècle, et ne peut se défendre de l'influence de Rubens; lorqu'il peint des
compositions ou des allégories, ses personnages émanent de ceux du grand
maître. Ces deux tendances font de son oeuvre un ensemble extrèmement
personnel, somptueux, courtisan et très baroque.

Franz SNYDERS (1579-1657)
La frutera
Cat. n.º 1757   (L. 1,53 × 2,14)

En torno a Rubens, colaborando con él y absorbidos en buena parte por su asombrosa capacidad y su genio inventivo y poderoso, figuran gran número de artistas que realizaban en el taller del maestro trabajos de especialista. Franz Snyders es uno de los mejores, excepcional en la realización de naturalezas muertas maravillosamente compuestas, con una opulencia sensual en la disposición y en los detalles que contrasta enormemente con la austeridad casi religiosa del bodegón español y con la sobriedad burguesa de los holandeses. Esta frutera es soberbia muestra de su capacidad para traducir las calidades de las cosas.

———

Around Rubens, collaborating with him and absorbed to a great extent by his surprising capacity and powerful, inventive genius, there are a great number of artists, with a fabulous technical capacity who did specially work in the master's workshop. Franz Snyders is one of the best, exceptional in the realization of marvelously composed still lifes with a sensual opulence in the details and layout which greatly contrasts with the Spanish still life and with the burgeois sobriety of the Dutch painters. This work is a superb example of his capacity to transfer the material qualities of objects to the canvas.

———

Autour de Rubens, collaborant avec lui et en partie annexés par son fabuleux talent et son puissant génie inventif, figurent un grand nombre d'artistes qui réalisèrent des travaux de spécialistes dans l'atelier du maître: Franz Snayders en est l'un des meilleurs. Réalisateur exceptionnel de natures mortes, il les compose merveilleusement traîtrant les motifs avec une opulence sensuelle dans leurs moindres détails. Son art contraste ainsi, violemment avec l'austérité quasi religieuse de la nature morte espagnole ou la sobriété bourgeoise des hollandais. Cette oeuvre est un exemple saisissant de son aptitude à saisir les qualités des choses.

91

REMBRANDT Hormenz van Rijin (1606-1669)
Artemisa
Cat. n.º 2132   (L. 1,42 × 1,53)

Firmado en 1635, año de su matrimonio, este lienzo cuenta entre las obras maestras de su autor por su misterioso y dramático tratamiento luminoso, que convierte las zonas iluminadas en verdaderas masas incandescentes, cuyos temblorosos reflejos hacen aún más misteriosas las sombras. Su asunto, tradicionalmente interpretado como Artemisa disponiéndose a beber las cenizas de su esposo, ha sido recientemente considerado como Berenice preparándose a tomar el veneno para no caer en manos de Marco Antonio. En uno u otro caso, se trata de temas de exaltación del amor conyugal.

————

Signed in 1635, the year of his marriage, this canvas may be counted among the masterpieces by its author, due to its mysterious and dramatic treatment of the lighting, which converts the illuminated zones into truly incandescent masses, whose shimmering reflections make the shadows even more mysterious. Its theme, traditionally interpreted as Artemisa about to drink the ashes of her husband, has recently been conside.ed Bernice, preparing to take poison in order to avoid falling into the hands of Mark Anthony.

————

Cette toile de Rembrandt est signée en 1635, année de son mariage. La manière mystérieuse et dramatique dont y est traîtée la lumière, convertissant les zones éclairées en masses réellement incandescentes dont les reflets tremblants, rendent encore plus mystérieuses les ombres, permet de la faire figurer parmi les chefs-d'oeuvre du peintre. L'interprétation habituelle du sujet de ce tableau est Arthemise se disposant à boire les cendres de son èpoux; depuis peu, le personnage serait Bérénice se préparant à absorber un poison afin de ne pas tomber entre les mains de Marc Antoine. De toutes façons, il s'agit d'un thème exaltant l'amour conjugal.

92

Gabriel METSU (1629-1667)
Gallo muerto
Cat. n.º 2103   (L. 0,57 × 0,40)

De los pintores de naturaleza muerta holandeses posee el Prado algunos ejemplos valiosos. Quizás el más importante de todos sea este Gallo muerto, de Gabriel Metsu, artista múltiple, que cultivó con maestría casi todos los géneros, desde el interior doméstico bañado en la serena y grata luz burguesa, hasta la alegoría compleja y el cuadro religioso. Este bodegón, con el hermoso gallo blanco aguardando a la cocinera que ha de desplumarlo, es magnífico ejemplo de su maestría en traducir las calidades de las cosas y de su sobriedad al disponerlas con tan simple y directa naturalidad.

————

The Prado possesses some valuable examples of the Dutch still-life painters. Perhaps the most important of all is this «Dead Chicken», by Gabriel Metsu, a varied artist who masterfully cultivated almost all the genres, from domestic interiors bathed in a serene and amiable bougeois light to the complex allegories and religious paintings. This still-life, with the lovely white chicken, awaiting the cook who will pluck it, is a magnificent example of his maestry in expressing on objects material qualities and of his frugality in arranging them in such a simple and direct manner.

————

Le Prado possède quelques natures mortes de valeur dues à des peintres hollandais. La plus importante est, sans doute, ce «Coq mort» de Gabriel Metsu, artiste multiple qui pratiqua avec maîtrise presque tous les genres, depuis la peinture d'intérieurs familiers, imprégnés d'une douce et calme lumière bourgeoise jusqu'à l'allégorie complexe ou le tableau d'église. Cette magnifique nature morte représentant un beau coq blanc attendant la cuisinière qui va le plumer, est un bel exemple de son habilité à traduire la qualité des choses et de son goût pour les disposer avec tant de simplicité et de naturel.

93

Nicolás POUSSIN (1594-1665)
El Parnaso
Cat. n.º 2313   (L. 1,45 × 1,97)

Obra de relativa juventud, el Parnaso de Poussin, con sus evidentes ecos de Rafael y de Tiziano, es ya una absoluta obra maestra, que deja ver lo que ha de ser el estilo del maestro supremo del clasicismo del seiscientos. El equilibrio maravilloso entre el pensamiento, impregnado de toda la tradición literaria humanista, y la forma, de clásica perfección, y el ajuste casi musical de sus elementos dispares, consigue un punto de severa dignidad, con belleza un tanto misteriosa y melancólica, ciertamente no fácil de captar por su carencia total de halagos sensuales.

———

A relatively youthful work, the «Parnassus», by Poussin, with its evident echos of Raphael and Titian, is already an absolute masterpiece which allows one to see what will be the style of the supreme master of Classicism in the sixteen hundreds. The marvellous equilibrium between thought, impregnated with the entire humanistic literary tradition and form, of a Classical formal perfection and an almost musical harmony in the blending of its various elements, attains a level of severe dignity with a somewhat mysterious and melancholy beauty, certainly not easy to capture, considering its total lack of flattery of the senses.

———

Relativement oeuvre de jeunesse, le «Parnasse» de Poussin, avec ses réminiscences évidentes de Raphaël et du Titien, est déjà un authentique chef-d'oeuvre, laissant entrevoir ce que sera le style du maître incontesté du classicisme au XVIIème siècle. Il s'y trouve un équilibre merveilleux entre la pensée imprégnée de toute une tradition littéraire humaniste, la forme d'une perfection classique et l'accord presque musical d'éléments disparates. Tout cela produit une impression de dignité sévère, à la beauté un peu mystérieuse et mélancolique, peu facile à saisir étant donné l'absence totale de flatterie sensuelle.

Nicolás POUSSIN (1594-1665)
El triunfo de David
Cat. n.º 2311   (L. 1,00 × 1,30)

También es este lienzo obra relativamente juvenil en su producción y co-
rresponde al momento de máxima atención al arte veneciano, evidente en
los dos angelitos —o amorcillos— llorosos, directamente ticianescos. Pero la
grave apostura melancólica del héroe bíblico, triunfador, aunque en simisma-
do, lejos del triunfo exterior y aparatoso que otros artistas hubieran preferi-
do, y la presencia de la Victoria que le corona con impasible dignidad escultórica, nos descubren el espíritu severo y clásico del artista, que opera siempre
desde presupuestos rígidamente intelectuales y sabe fundir la Biblia y el mundo antiguo en síntesis enteramente personal.

———

This canvas is also a relatively early work in his production and corresponds to the moment of maximum interest in Venetian art, evident in the
two little crying angels or cupids—directly Titianesque. But the serious, melancholy attitude of the Biblical hero, triumphant, but comptemplative, far
from the artificial, exterior triumph which other artists would have preferred,
and the presence of the Victory, which crowns him with impassive sculptural
dignity, show us the severe and Classical spirit of the artist, who always works
from a rigidly intellectual base, and knows how to blend the Bible and Antiquity in an entirely personal synthesis.

———

Cette toile peut aussi considérée comme une oeuvre de jeunesse dans la
production de Poussin et correspond au moment de sa plus grande appro-
che de l'art vénitien, manifeste dans les deux angelots —ou petits amours— en
larmes, provenant directement du Titien. Mais, l'attitude grave et mélancolique du héros biblique victorieux, concentré sur lui-même si éloignée du
triomphe public et fastueux que d'autres artistes eussent préféré, ainsi que la
présence de la Victoire le couronnant avec une dignité impassible de statue,
nous prouvent l'esprit sévère et classique de l'artiste oeuvrant toujours à partir de conceptos intellectuels rigides et sachant unir la Biblie et le monde antique dans une synthése tout à fait personnelle.

Claude Gellée LORENA (1600-1682)
Paisaje con el embarco en Ostia de Santa Paula Romana
Cat. n.º 2254   (L. 2,11 × 1,45)

El Prado posee una importante serie de paisajes de Claudio Lorena, en los cuales puede estudiarse, a través de obras maestras, la mágica sensibilidad hacia la luz de este gran maestro, que interpretó como ningún otro artista de su siglo los temblores pálidos del amanecer o el incendio dorado del crepúsculo vespertino, con tal fidelidad que hace presentir —en la sensibilidad, ya que no en la técnica—, el impresionismo moderno. Sus composiciones mitológicas o religiosas, compuestas con la sobria dignidad escultórica del clasicismo, se convierten, por obra de la luz, en barrocas y aun prerrománticas.

The Prado possesses an important series of landscapes by Claude Lorrain, in which may be studied, through these masterpieces, the magic sensitivity for light of this great master who interpreted —like no other artist of his century— the palidly shimmering dawns or the golden flames of a sunset, with a complete fidelity which makes one think —if not in technique, at least in sensitivity— of modern Impressionism. His mythological or religious paintings, composed with the sober sculptural dignity of Classicism, are converted, thanks to the lighting, into Baroque or even Pre-Romantic works. This «Embarkation of St. Paula», with its dazzlingly golden backlighting is an excellent proof of this fact.

Le Prado possède une importante collection de paysages de Claude Lorrain où, à travers ses chefs-d'oeuvre, on peut étudier la sensibilité magique de ce grand maître pour la lumière. Comme nul autre artiste de son siècle, il sut intreprêter les frissons pâles de l'aube ou l'incendie doré des crépuscules du soir, avec une exactitude telle, qu'il fait déjà pressentir —par su sensibilité, mais non par sa technique—, l'impressionisme moderne. Ses composition de thèmes mythologiques ou religieux, d'une sobriété digne et sculpturale toute classique, deviennent baroques et même pré-romantiques, grâce à la lumière.

96

Antonie WATTEAU (1684-1721)
Capitulaciones de boda y baile campestre
Cat. n.º 2353   (L. 0,47 × 0,55)

De los grandes maestros de la pintura francesa del siglo XVIII sólo posee el Prado dos pequeños lienzos de Watteau, que apenas permiten conocer el encanto misterioso, delicado y frágil, con un poco de melancolía, de este raro maestro que, inspirándose en la Flandes de Rubens e interpretándola a escala rococó, a través de su temperamento enfermizo, consiguió darnos la estampa más viva del ambiente Luis XV con su artificiosidad casi neomanierista. Estas Capitulaciones de boda, celebradas en un parque, al modo de Teniers, se convierten sutilmente en fiesta cortesana.

————

Among the great masters of XVIIIth century French painting, the Prado only possesses two small canvases by Watteau which scarcely permit us to know the delicate, fragile and mysterious enchantment, with a melancholy base, of this rare master who, inspired by the Flanders of Rubens and interpreting it on a Rococo scale, in light of his extremely delicate temperament, succeeded in giving us the most lively picture of the atmosphere of Louis XV's epoch with its almost Neomannerist artificiality. These «Articles of Marriage», celebrated in a park, almost in the manner of Teniers, are subtly changed into a courtly holiday.

————

Des grands maîtres de la pinture française du XVIIIème siècle, le Prado ne possède que deux petites toiles de Watteau. Elles permettent à peine de connaître le charme mystérieux, délicat et fragile, un peu mélancolique de cet étrange maître. S'étant inspiré des Flandres de Rubens et l'interprètant à la manière rococo, en raison de son tempérament maladif, le peintre réussit à nous rendre une image très nette de la vie au temps de Louis XV, avec son style affecté, presque néo-maniériste.

974.

97

Alberto DURERO (1471-1528)
Autorretrato
Cat. n.º 2179 (T. 0,52 × 0,41)

Figura excepcional en el arte europeo de fines del cuatrocientos y uno de los máximos exponentes del humanismo, Durero, obsesionado seguramente por los problemas de la personalidad, no cesó de observarse al espejo y de pintarse a sí mismo a lo largo de toda su vida, en una serie impar de autorretratos. El Prado posee uno de los más importantes, fechado en 1498, cuando el pintor contaba veintisiete años. Vestido con lujo y con gesto un tanto altivo, nos mira con profundidad y agudeza inolvidables. La perfección de su técnica y la hondura de su actitud frente a la naturaleza hacen de él pieza capital en la pintura de su tiempo.

———

An exceptional figure in European art at the end of the fourteen hundreds and one of the maximum exponents of humanism, Dürer, surely obsessed with personality problems, never stopped observing himself in the mirror, nor painting himself throughout his lifetime, in an uneven series of selfportraits. The Prado possesses one of the most important ones, dated 1498, when the painter was 27 years old. Dressed luxuriously and with a somewhat haughty attitude, he stares out at us with a profound look of unforgettable sharpness. The perfection of his technique and the profundity of his attitude toward nature make it a major work in the painting of Dürer's time.

———

Figure hors série dans l'art européen de la fin du XIVème siècle et l'un des meilleurs représentants de l'humanisme, Dürer, certaimement obsédé par les problémes de la personnalité, ne cessa pas, tout au long de sa vie, de se peindre lui-même en s'observant dans un miroir: il composa ainsi une collection incomparable d'autoportraits. Le Prado en possède l'un des plus remarquables, daté de 1498, alors que le peintre avait 27 ans. Habillé avec luxe et placé dans une attitude légèrement altière, il nous regarde avec une pénétration et une profondeur inoubliables. La perfection de sa technique et son analyse, pénétrante de la nature font de ce tableau une pièce capitale parmi les oeuvres de son époque.

98

Alberto DURERO (1471-1528)
Adán
Cat. n.º 2177   (T. 2,09 × 0,81)

Después de su segundo viaje a Italia, realizado en 1505, Durero se encuentra obsesionado por el estudio de las proporciones del cuerpo humano y en torno a ellas realiza una serie de dibujos y grabados, que en cierto modo culmina en las dos soberbias tablas del Adán y Eva, pintadas en 1507 y en un *Tratado* publicado póstumamente. La Eva, de tipo muy germánico, parece, a pesar de su severidad formal, algo gótica aún. El Adán, plenamente clásico, se alza como un Apolo cristiano, quizás el mejor eco de las estatuas antiguas pintada al norte de los Alpes.

––––

After his second trip to Italy, taken in 1505, Dürer is obsessed with the study of the proportions of the human body. On this topic he does a series of drawings and engravings, which in a certain manner culminate in two superb pánels, «Adam» and «Eve» painted in 1507, and in a *Treatise,* which is published posthumously. The «Eve», of a very German type, still seems to be somewhat Gothic in spite of its formal severity. The «Adam», fully Classical, stands like a Christian Apollo, perhaps the best echo of the statues of Antiquity which has been painted north of the Alps.

––––

Après un second voyage en Italie, en 1505, Dürer reste hanté par l'étude des proportions du corps humain. En raison de cela, il réalisa une série de dessins et gravures, dont les sommets sont certainement les deux magnifiques tableaux d'Adam et d'Eve, peints en 1507, en un *Traité* posthume. Eve, de type très germanique malgré la rigueur de ses formes, semble encore un peu gothique. Adam, tout à fait classique, dressé tel un Apollon chrétien, se trouve être, sans doute, le meilleur rappel des statues antiques, peint au Nord des Alpes.

99

Hans BALDUNG GRIEN
Las edades y la muerte
Cat. n.º 2220   (T. 1,51 × 0,61)

Discípulo e imitador de Durero, Baldung representa un momento del arte alemán en el cual se intenta asimilar el concepto renacentista y la amplitud humanística que trajo el gran maestro, tropezando con la realidad de una sensibilidad familiarizada en exceso con el lenguaje simbólico y formal de la Baja Edad Media. Ejemplo magnífico es esta tabla —pareja de otra que representa las Tres Gracias o la Armonía—, donde las tres Edades de los humanos, infancia, plenitud y vejez, se representan arrastradas por la Muerte con todo el patetismo de la literatura medieval.

———

A disciple and imitator of Dürer, Baldung represents a moment in German art in which there is an attempt to assimilate the Renaissance concept and humanistic openness introduced by the great master, but which is impeded by a taste which is overly influenced by the symbolic and formal language of the Low Middle Ages. A magnificent example is this panel—the complement of another which represents «The Three Graces» or «Harmony»— in which «The Three Ages of Man», infancy, maturity and old age, are shown being dragged off by Death, with all the pathos of Medieval literature.

———

Disciple et imitateur de Dürer, Baldung représente une période de l'art allemand où on essaie d'assimiler les idées de la Renaissance, avec l'élargissement humaniste apporté par le grand maître, bien qu'en se heurtant à la réalité d'une sensibilité trop familiarisée avec le symbolisme des formes du Bas Moyen-Age. Ce tableau traîté avec toute l'expression pathétique de la littérature du Moyen-Age, en est un exemple magnifique. Il a pour sujet les trois âges de l'homme (enfance, maturité, et vieillesse) entraînés par la Mort, et trouve son pendant dans un autre, représentant «les trois Grâces» ou «L'Harmonie».

100

Antón Rafael MENGS (1728-1779)
María Luisa de Parma
Cat. n.º 2568   (L. 0,48 × 0,38)

En el siglo XVIII, y en la frontera del neoclasicismo más riguroso y formulario, la figura de Mengs ocupa un lugar de primer orden. El Prado posee una importantísima serie de sus obras donde pueden estudiarse en toda su amplitud las virtudes y limitaciones de su estilo, que transformó por completo el panorama de la pintura europea de su tiempo. Enamorado de Rafael y de Correggio, sus composiciones religiosas en ellos se inspiraron. Pero es en los retratos donde su personalidad es más libre, consiguiendo maravillosos efectos de calidades en telas, encajes y accesorios, mientras en los rostros pone una tersura y brillo casi de porcelana.

————

In the XVIIIth century and on the borderline of the most rigorous and formalistic Neoclassicism, the figure of Mengs occupies a place of prime importance. The Prado possesses an extremely important series of his works in which there may be studied in all their breadth the virtues and limitations of his style, which completely transformed the panorama of European painting in his time. Enchanted by Raphael and Correggio, his religious compositions are inspired in their works. But it is in the portraits in which his personality is more freely developed, attaining marvellous effects in the qualities of the materials, laces and accessories, while in the faces he paints with an almost porcelain-like, shiny smoothness.

————

Le personnage de Mengs, situé à la frontière du néo-classicisme le plus rigoureusement formaliste, occupe une place dominante dans le XVIIIème siècle. Le prado possède une collection très importante de ses oeuvres dans lesquelles peuvent être étudiées dans tout leur développement les qualités et les limites de son style qui modifia complètement le panorama de la peinture européenne de son temps. Ses compositions religieuses se sont inspirées du Corrège dont il était épris. Mais c'est dans les portraits que sa personnalité s'affirme le plus: il réussit de merveilleux effets dans les tissus, les dentelles et les accessoires, tandis qu'il pare les visages d'un éclat et d'un lustre de porcelaine.

43

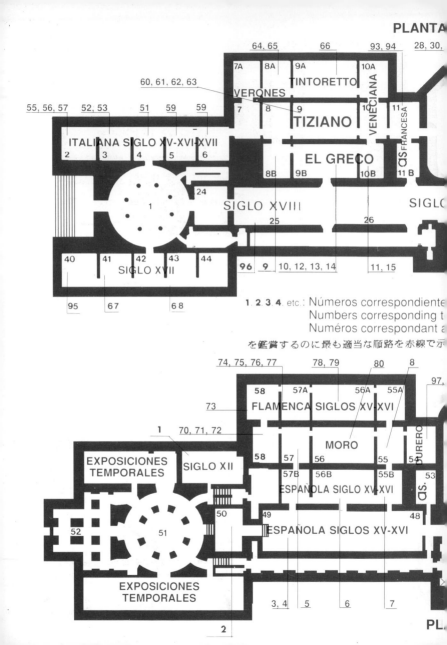

64, 65   66   93, 94   28, 30,

7A   8A   9A   10A

60, 61, 62, 63

TINTORETTO

VERONES

55, 56, 57   52, 53   51   59   59

7   8   9   10   11

VENECIANA

ITALIANA SIGLO XV-XVI-XVII

TIZIANO

CⓈ FRANCESA

2   3   4   5   6

EL GRECO

8B   9B   10B   11 B

24

1

SIGLO XVIII

SIGLO

25   26

40   41   42   43   44

SIGLO XVII

96   9   10, 12, 13, 14   11, 15

95   67   68

1, 2, 3, 4. etc.: Números correspondiente
Numbers corresponding t
Numéros correspondant a

を鑑賞するのに最も適当な順路を赤線で示

74, 75, 76, 77   78, 79   80   8

58   57A   56A   55A   97,

73

FLAMENCA SIGLOS XV-XVI

DURERO

1   70, 71, 72

58   57   56   55   54

EXPOSICIONES TEMPORALES

SIGLO XII

MORO

57B   56B   55B   53

CⓈ

50   49   48

ESPAÑOLA SIGLO XV-XVI

52   51

ESPAÑOLA SIGLOS XV-XVI

EXPOSICIONES TEMPORALES

3, 4   5   6   7

2

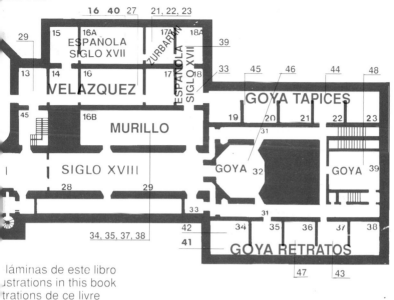

16 40 27   21, 22, 23
29
15   16A   17A   18A
      ESPAÑOLA   39
      SIGLO XVII   ZURBARÁN
13   14   16   17   18   33
      VELAZQUEZ   ESPAÑOLA SIGLO XVII
45   16B   MURILLO   45   46   44   48
                          GOYA TAPICES
            19   20   21   22   23
            31
      SIGLO XVIII   GOYA 32   GOYA 39
28   29
            33
      34, 35, 37, 38   42   34   35   36   37   38
      41   GOYA RETRATOS
                          47   43

láminas de este libro
ustrations in this book
trations de ce livre
の図版に対応する番号を付した。

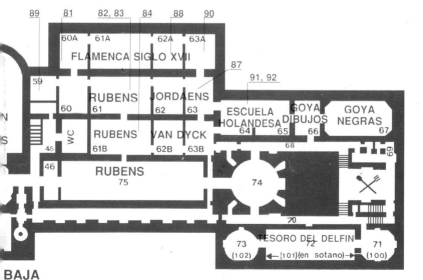

89   81   82, 83   84   88   90
      60A   61A   62A   63A
      FLAMENCA SIGLO XVII   87
                          91, 92
59
      60   61   62   63   ESCUELA   GOYA   GOYA
      RUBENS   JORDAENS   HOLANDESA   DIBUJOS   NEGRAS
      WC   64   65   66   67
      RUBENS   VAN DYCK   68   69
45   61B   62B   63B
46
      RUBENS
      75   74

                    70
      73   TESORO DEL DELFIN   71
      (102)   72   ←(101)(en sotano)→   (100)

BAJA

©ALFIZ
ISBN: 84-85818-**17-2**
DEPOSITO LEGAL: M-**14241-1992**

DISEÑO, FOTOLITOGRAFIA
Y ESTAMPACION: FERNANDO SANZ VEGA

Edita: Alfiz Ediciones.
       Bocangel 29.
       28028 Madrid.